中国vs.世界

最終戦争論

そして、ポスト・コロナ世界の「復興」が始まる

石平
Seki Hei

清談社
Publico

中国VS.世界 最終戦争論

そして、ポスト・コロナ世界の「復興」が始まる

石平

清談社
Publico

はじめに
いま、自由世界は生きるか死ぬかの岐路に立たされている

「中国vs.世界 最終戦争論」をメインのタイトルとする本書がその最終の編集段階に入った2021年9月中旬から下旬にかけ、まさに自由世界vs.中国の「最終戦争」を象徴するようないくつかの出来事があった。

まずは9月15日、アメリカ、イギリス、オーストラリアの3カ国首脳がオンラインでの共同会見を開き、「AUKUS」（オーカス。Australia, United Kingdom, United States）と呼ばれる安全保障の新枠組みの創設を宣言し、事実上の3カ国軍事同盟を形成した。この新しい軍事同盟が立ち向かう「敵国」はいうまでもなく中国。まさに「敵は北京（ペキン）にあり」、ということである。

そして9月24日、日米豪印の4カ国は初めての対面式首脳会談を行い、中国を念頭に「威圧に怯（ひる）まず、自由で開かれたルールに基づく秩序を推進する」と宣言する一方、中国が進める「一帯一路（いったいいちろ）」に対抗すべく、インド太平洋地域で途上国のインフラ整備を支援す

る新たな枠組みの創設で合意した。

「クアッド」（Quadrilateral Security Dialogue、4カ国戦略対話）と呼ばれる日米豪印の4カ国連携が姿を現したのは2020年9月。「自由で開かれたインド太平洋の平和と秩序」を守るための国際連携である。どこの国からそれを守るのかとなると、それは当然、中国から。中国こそはインド太平洋の平和と秩序を脅かしている現代最大のファシズム国家である。

創設から1年、中国への対抗を戦略的使命としたクアッドは、いま、かなり成熟した枠組みとしてきちんと機能し始めているのである。

こうして2020年9月から2021年9月までのわずか1年間に、インド太平洋地域において、中国の覇権主義的膨張政策に対抗して、それを封じ込めるための国際同盟が二つも現れている。それは米ソ冷戦の終結以来この世界で起きた最も重要な地殻変動であり、世界の勢力図はすっかり変わった。

これとも関連して、2021年9月にはもうひとつ歓迎すべき動きがあった。23日、自由世界の一員であってアジアの民主主義国家優等生の台湾は、TPP（環太平洋連携協定）への参加を正式に申請した。

その1週間ほど前に、よりによって中国がTPPへの参加申請を発表したが、それは誰から見てもただの悪い冗談でしかない。TPPというのはそもそも独裁的全体主義国家の中国を排除したうえでの自由貿易圏であって、まさに経済領域での中国封じ込めを強く意識したものである。したがって中国がそれに入れるはずもない。万が一入っていたらTPPという自由貿易圏自体が完全破壊されてしまうであろう。

幸い、この原稿を書いている9月26日現在、TPP加盟国のなかでは中国の参加申請に対しては好意的な態度を示した国はひとつもなく、関係国はすべてが中国の参加申請茶番を冷ややかに見ているだけである。その一方、台湾の参加申請に対しては、2020年度のTPP議長国である日本は真っ先に「歓迎」の意と積極的に協力する意向を示した。台湾は加盟国によってTPPに温かく迎えられる可能性は非常に大きいであろう。

経済、技術の先進国家である台湾のTPP参加はこの自由貿易圏の繁栄に大きく寄与すると同時に、台湾自身とインド太平洋地域全体の安全保障にとっても大きなプラスになるはずである。台湾がTPPの一員であることは、中国のたくらむ「台湾併呑（へいどん）」（彼らの言葉では統一）をよりいっそう難しくしているからである。

このようにして、われわれの住むインド太平洋地域においては、自由世界は安全保障と経済という二つの重要領域において着々と中国包囲網を構築している。その一方、域外の多くの国々もこの史上最大の包囲網の構築に参加してきている。前述の「ＡＵＫＵＳ」に加わったイギリスはその典型例である。２０２１年の夏から秋にかけて、イギリスは空母打撃群を南シナ海と東シナ海に派遣してきて中国封じ込めの戦略的軍事行動にも実際に参加しているし、さらにＴＰＰへの参加を申請している最中である。

安全保障と経済以外の領域では、２０２１年3月、カナダ、アメリカ、イギリスとＥＵ（欧州連合）は、中国国内の人権弾圧を非難して中国に対する制裁措置を一斉に発動した。人権という側面においても、自由世界vs.中国の戦いはすでに始まっている。

こうして見ると、軍事、経済、価値観などの大変重要な領域において、自由世界vs.中国の、それこそ運命を決するところの「最終戦争」は、いまや展開されている最中であることがよくわかる。そして、史上最悪のファシズム国家中国とのこの戦いの結果によって、われわれの自由世界は生きるか死ぬかの岐路に立たされるであろう。

それでは、中国vs.世界の戦いはいったいどういう性格のものであって、それは今後どのような結末を迎えるのか。それこそは自由世界に住むわれわれ全員にかかわってくる切実な問題であって、われわれが真剣に考えていかなければならない大問題であろう。

そして、この大問題を考えていくためには、われわれはまず、そもそも自由世界はいったいどうして中国との最後の戦いに挑まなければならないのか、この戦う相手の中国はいったいどういう国なのか、われわれは今後この中国とどのように戦うべきなのか、といった問題を一度真剣に考えなければならない。己を知り彼を知ること、戦いの戦略や方策を考え抜くこと。それは勝利の前提条件である。

いま、皆様の手にある本書は、まさにそのために書かれたものであって、先述の諸問題について詳しく解説し、分析を行うべく、著者の私が渾身(こんしん)の力を込めて仕上げた一冊である。具体的な内容は皆様の読む楽しみとして取っておくが、「中国vs.世界 最終戦争論」に対する皆様のご理解を深めるのに大いに役に立つことを保証したい。

最後に、本書の企画と編集を主導してくださった但馬(たじま)オサムさんと清談社Publicoの若き社長の畑祐介さんに心からの謝意を申し上げたい。そして、本書を手に取ってくださった読者の皆様にひたすら頭を下げて御礼を申し上げたい次第である。

令和3年9月吉日　石(せき)　平(へい)

奈良市西大寺(さいだいじ)界隈(かいわい)、独楽庵(どくらくあん)にて

目次

中国vs.世界 最終戦争論

そして、ポスト・コロナ世界の「復興」が始まる

序章

なぜ、世界は中国と戦わねばならないのか？

——ついに「中華帝国主義」をあらわにした習近平

第1章 世界は「習近平」を絶対に許さない

――G7から動き出した「中国包囲網」の衝撃

第2章 「習近平思想」の正体
――「毛沢東の再来」を狙う野望のルーツとは

第3章

迫り来る「台湾危機」の深層
──アメリカ・バイデン政権は「防衛義務」を果たすのか

第4章 世界が知るべき「中国経済」の虚像
――なぜ、それでも各国は「14億人市場」に投資するのか

第5章　そして、「世界最終戦争」の号砲が鳴る

――タリバン、ミャンマー軍事政権とさえ手を組む中国の思惑

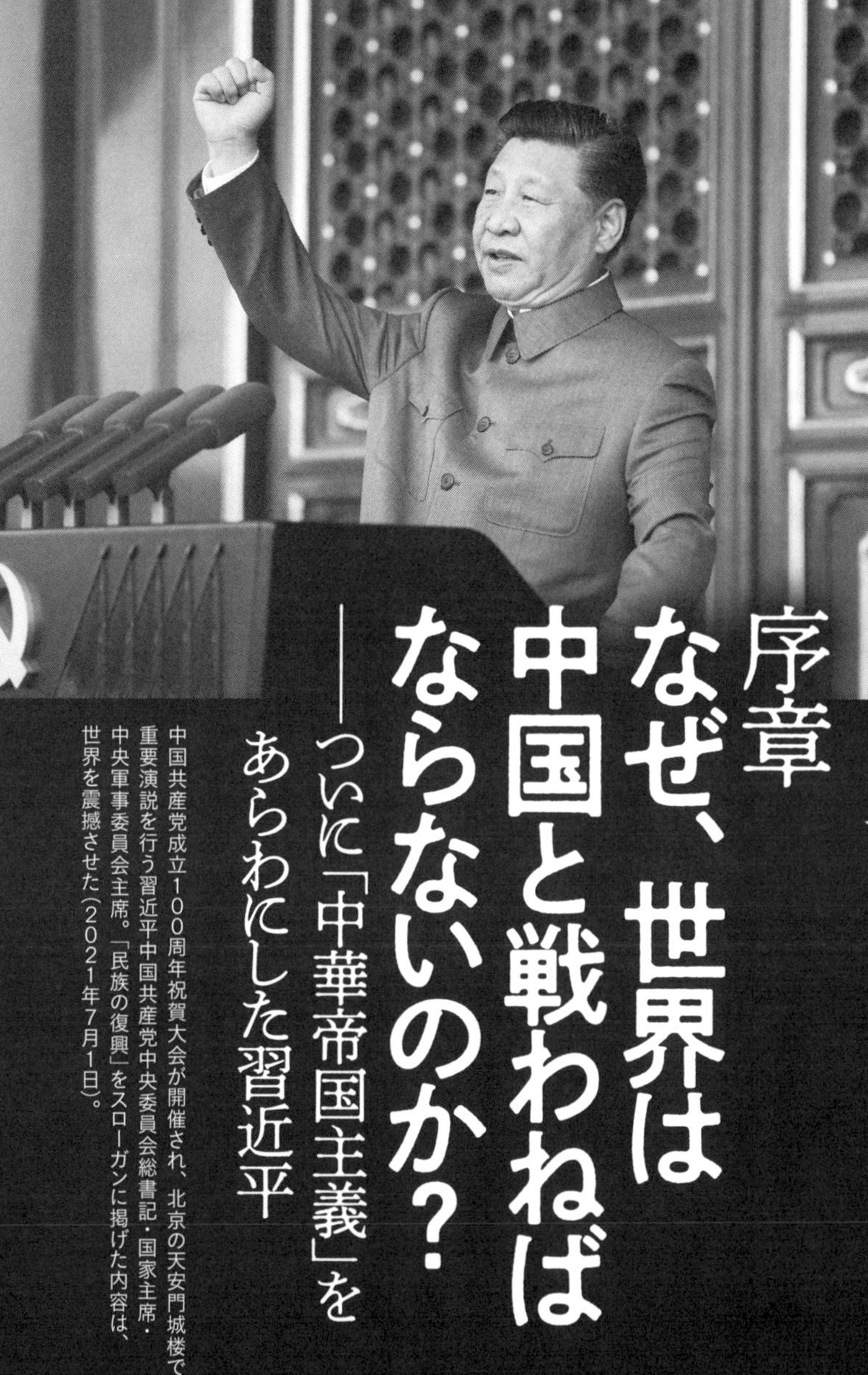

序章 なぜ、世界は中国と戦わねばならないのか？

——ついに「中華帝国主義」をあらわにした習近平

中国共産党成立100周年祝賀大会が開催され、北京の天安門城楼で重要演説を行う習近平中国共産党中央委員会総書記・国家主席・中央軍事委員会主席。「民族の復興」をスローガンに掲げた内容は、世界を震撼させた（2021年7月1日）。

「中国共産党成立100周年演説」に込められた意味

2021年7月1日、世界中が注視するなか、北京で「慶祝中国共産党成立100周年大会」が開催された。72年前の10月1日、毛沢東（もうたくとう）が中華人民共和国設立を宣言したときと同じ天安門（てんあんもん）の楼台に立った習近平（しゅうきんぺい）は、その敬愛する毛沢東の肖像画と同じ灰色の人民服に身を包んでいた。これは自分が毛沢東の正統な後継者だという宣言だった。

演説の重要部分をピックアップしてみたい。

「中華民族の偉大なる復興を実現するため、中国共産党が団結して率いた中国人民は、自力更生、発奮図強（強化を図る）し、社会主義革命と建設の偉大な成果を創造した。ただ社会主義だけが中国を救ったのであり、ただ中国の特色ある社会主義だけが中国を発展させられたのだ！　生産力が立ち遅れた状況だったのが、世界第2の経済大国という歴史的な突破を実現させた」

習近平は1時間半にわたる演説のなかで「偉大」という言葉を46回も使い、党と社会主義体制を礼賛してみせた。「中華民族の偉大なる復興」は習政権発足以来のスローガンだが、このフレーズも20回繰り返されている。

冷静に考えれば、民族主義と共産主義、社会主義は相いれぬ概念であるし、それをいうなら、社会主義の看板を掲げたまま市場経済を導入することの矛盾も指摘されて当然だろう。しかし、こういった矛盾を平然と無視し、馬馬虎虎（マーマーフーフー）（それはそれ、これはこれ）の鉄面皮で、そのときそのとき、都合よく顔を使い分けてきたのが中国共産党だった。

文革（文化大革命）の時代、あれだけ苛烈な焚書坑儒（ふんしょこうじゅ）をやっておきながら、東洋の哲人・孔子（こうし）のご威光が使えるとなれば、世界各国の大学にその名を借りた孔子学院という工作機関を置く。こういうことがシラッとできるのが中国共産党なのである。

いや、そもそも社会主義体制そのものが大いなる矛盾をはらんでいる。富の平等を謳（うた）う社会主義国家で、なぜ「赤い貴族」が生まれるのか。いまだに、この問いに納得のいく回答を示してくれた社会主義者、共産主義者を、シンパを含めて、私は知らない。

習近平のいう「中華民族」とは

さて、「中華民族」だが、これも、じつに曖昧模糊（もこ）とした概念なのである。実際、漢（かん）民族などの民族がたしかに存在しているが、「中華民族」という民族はどこにも存在していない。

習近平のいう「中華民族」を単純に解釈すると、中国大陸に住む56の民族の集合体ということになる。

当然ながら、ウイグル人もチベット人も南モンゴル人もこれに含まれる。ウイグル人もチベット人も南モンゴル人もまた、中国共産党の支配のもとにある「中華民族」の一員であるから、その独立は絶対に認めない、力ずくで阻止するという宣言でもあるのだ。

さらにいえば、台湾、香港はむろんのこと、世界中に散らばる華僑、華人も中華民族であるのだ。

分けても台湾併呑は、毛沢東もなしえなかった偉業であり、習政権の責務であるという。

「台湾問題を解決し、祖国の完全統一を実現することは、中国共産党の意思が変わらぬ歴史的任務であり、中華の子女全体の共同の願望だ。両岸の同胞を含む、あらゆる中華の子女は、ともに和して団結して前を向き、いかなる『台湾独立』のたくらみも決然と粉砕し、民族復興の美しい未来を、ともにつくっていく必要がある」

台湾独立は、たくらみと同義語だというのだ。ここでも中華という言葉が都合よく使われている。

もともと、中国には「漢化」という考えがある。これは、日本人にはちょっと理解しがたいものだと思う。

歴史的に見て、唐も元も清も漢民族が建てた王朝ではなく、征服王朝であることはよく知られている。だが、中国に王朝を建てた民族も、長い支配期を経て漢民族化（漢化）するのだから、その王朝の版図もまた、漢民族が受け継ぐ権利があるという、じつに傲慢きわまりない考え方なのである。

いい例が現在、東北三省として中華人民共和国の地図に組み込まれている旧満州だ。ここは本来は満州族（女真族）の土地であるはずだが、満州族の王朝である清が倒れたために、中華民国を経て、中華人民共和国がこれを受け継いだという理屈なのである。国境として設けられた万里の長城の意味はどこに行ったのだろう。

そればかりではない。「元はモンゴル人による王朝だから、モンゴル帝国の版図は、そっくり中国の潜在的領土だ」と真顔で言う中国の学者さえいる。となれば、広大なユーラシア大陸の半分は「中国」になってしまう。

彼らにかかれば、明や清と冊封関係にあった琉球王国（沖縄）もまた、潜在的中国領土であり、沖縄人もまた、中華民族であるという主張も成り立ってしまう。いや、実際に、そのように主張している。沖縄の一部活動家や、それを煽動（せんどう）する本土の左翼人士が掲げる沖縄独立論が、いかに危険な主張か、おわかりいただけよう。

あらわになった「中華帝国主義」

「中華民族の偉大なる復興」という言葉の裏を探れば、中華（世界の中心）という考え方を軸とした、一種の帝国主義的な思想が見えてくる。要は、社会主義を表看板にした中華帝国主義とでも呼ぶべきものであり、その帝国の皇帝を自認するのが習近平なのである。

「中華民族の近代以降の180年余りの歴史、中国共産党成立以来100年の歴史、中華人民共和国成立以来70年余りの歴史が十分に証明しているのは、中国共産党がなければ新中国もなく、中華民族の偉大なる復興もないということだ。歴史と人民が中国共産党を選んだのだ。引き続き、現代中国のマルクス主義、21世紀のマルクス主義を発展させていく！」

演説のこの部分を聞くかぎり、すでにマルクス主義は方便でしかないことが理解できる。

「現代中国のマルクス主義」「21世紀のマルクス主義」とはすなわち、いまいった中華帝国主義なのである。

そして、演説はいよいよ核心部分に触れる。

「われわれは絶対に教師面した上から目線の説教を受け入れることはない。いかなる外部勢力の圧迫も断じて許さない。誰かがそれを仕組めば、14億余の中国人民の血肉で築き上げられた鋼の長城に頭をぶつけ、さんざんな目にあうに決まっている」

北朝鮮のプロパガンダ放送もかくやとも思う攻撃的なもの言いで、その強気な姿勢に、むしろ習政権の焦りが見て取れるが、それについては、のちほどまた触れよう。

「教師面した上から目線の説教」というのは、ウイグルなどの人権問題に関する欧米諸国の対中非難を意味するのはいうまでもない。「いかなる外部勢力の圧迫も断じて許さない」以下の言葉はアメリカが中心となって進めている対中包囲網に対する牽制のつもりだろう。

当のアメリカからすれば、こちらが売ったケンカを中国が買ってくれた状況で、内心は「してやったり」といったところかもしれない。

トランプの「貿易カード」とバイデンの「人権カード」

2018年7月、アメリカのドナルド・トランプ政権が対中制裁関税に踏み切り、米中新冷戦がここで顕在化した。翌2019年8月には中国からの輸入品340億ドルに10%の制裁関税を課すことを決定し、返す刀で中国を「為替操作国」に認定している。

後者は為替の自由化を実現しろという圧力で、自由経済と計画経済のおいしいところ取りはもう許さんぞという脅しであり、中国の馬馬虎虎政策への鉄槌であった。

そして、同年10月には、当時のマイク・ペンス副大統領が保守系シンクタンクのハドソン研究所で対中政策に関する歴史的演説、いわゆるペンス演説を行っている。

その内容は、貿易問題にとどまらず、安全保障上の挑発や知的財産権の侵害、映画産業における資本の流入による影響力の拡大、あるいは「一帯一路」でのインフラ経済支援に名を借りた途上国の経済植民地化、中国国内の宗教弾圧などに対する総括的で激しい中国批判に終始し、事実上の宣戦布告ともいえた。

当時は、まだ中国包囲網は構築されておらず、中国はアメリカ一国と交渉することで、ひとまず難局を乗り切る手もあったが、習近平は愚かにもトランプの制裁関税に報復関税で応じたのである。

即座にアメリカは１６０億ドル分の第２弾の制裁関税をかけ、中国が同額で対抗すると、アメリカは２０１９年９月、さらに２０００億ドル分の中国からの輸入品に10％の関税をかけた。しかも、中国がこのまま貿易黒字問題を放置したら、２０１９年10月１日に自動的に25％に引き上げるとの宣言つきである。

ディール（取引）の人トランプは一流のギャンブラーでもある。しかし、彼は丁半博打（ちょうはんばくち）はしない。あくまで彼が好むのは対面でのカード・ゲームだ（「トランプ」というシャレではないが）。

アメリカの中国からの輸入総額は約５５００億ドル、対する中国のアメリカからの輸入総額は１３００億ドルで、関税戦争を続けていけば、中国が先に音を上げざるをえない。トランプは、それを見越してチップを積み上げ、悠々とカードを切っていったのである。

この間、中国の輸出向け優良企業のいくつかが倒産し、外資が逃げ出していった。習近平としては、知的財産権の保護やＷＴＯ（世界貿易機関）のルールの遵守などを条件に一時休戦に持ち込むしか手はなかったのである。

しかし、それらの約束が守られないと知ると、トランプは躊躇なく関税の25%引き上げを実行。ついでにファーウェイ（華為）製品を禁輸リストに入れてしまった。ファーウェイと取引がある企業も制裁対象となるため、グーグルやパナソニックなど世界中の企業が同社との取引を停止し始めた。結果、中国は半導体事業で大ダメージを被ることになったのである。

対米外交の稚拙さをさらし、すっかり面目をつぶすことになった習近平であるが、この屈辱は忘れがたいものとなっただろう。彼の心中はトランプ憎しで固まっていたはずだ。その後、どうにか仇敵トランプを下野させることはできたものの、続くジョー・バイデン政権は対中融和に向かうという大方の予想に反し、発足当初からトランプ以上の対中強硬路線を鮮明にしている。

トランプのスローガンは「アメリカ・ファースト」であり、対中政策の主題は貿易赤字の解消であったが、民主党のバイデン政権は、これにプラスして人権問題を対中非難の前面に押し出したのだ。

人権問題は習政権、ひいては中国共産党の急所であるばかりか、その普遍的なテーマ性ゆえ、米中の貿易問題よりはるかに国際社会の同調を得やすく、対中包囲網構築を目指すアメリカにとっては大きな武器となった。

「アメリカは陰険であくどい国」

２０２１年3月30日、バイデン政権で初となる「世界の人権状況に関する年次報告書」が発表された。

同報告書は、「新疆（しんきょう）ウイグル自治区にある強制収容所では１００万人以上のウイグル人が拷問や強制労働に従事させられていて、それを示す証拠もある」と告発している。

また、アントニー・ブリンケン国務長官は、会見のなかで、中共政府によるウイグル人大量虐殺についても、はっきり言及している。

同年6月にイギリスで開かれたＧ７（主要7カ国首脳会議）の主要議題のひとつが、まさに中国の人権問題で、13日の首脳宣言では、台湾海峡の平和と安定の重要性の確認とともに、新疆ウイグル自治区や香港情勢などで人権や基本的自由を尊重するよう求めることが盛り込まれている。これにはバイデン政権の強い意向があったのはいうまでもない。

中国は即座に反応し、「（首脳宣言は）意図的に事実を歪曲（わいきょく）し、中国の内政に干渉する」

ものであるとし、その音頭取り役であるアメリカを「陰険であくどい国」という言葉まで使って非難している。

中国政府といえば、西側諸国からの批判を大人(たいじん)ぶった態度でやりすごすのがこれまでの常だったが、そんな余裕もないのか、いささかヒステリックな反応だった。よほど痛いところを突かれたのだろう。これが習近平の「教師面した上から目線の説教」発言へとつながるのだ。

話はやや前後するが、2021年4月、オーストラリア政府が「一帯一路」へのビクトリア州政府の参加協定を破棄する決定を下したことも特筆すべきである。オーストラリア政府は、「一帯一路」の危険性に遅まきながら気づいたようだ。今後、追従する途上国も増えてくるだろう。

着々と形成される「対中包囲網」

豪中関係の悪化は、これに先立つ2020年4月、オーストラリア政府が新型コロナウイルスの発生源をめぐって中国での国際調査を求めたことに端を発する。

反発した中国がオーストラリア産大麦に制裁関税をかけ、石炭やワイン、木材など7品目の輸入を制限する暴挙に出たが、その結果、オーストラリア産からの代替が難しい鉄鉱石や石炭の輸入が滞り、中国国内の鉄鉱石価格が高騰しているという。打撃を受けたのは中国のほうだった。

ここにも習近平の外交の稚拙さ、いや、ケンカ下手(べた)が見えてくる。

2021年春の子どもじみたいやがらせに等しい台湾産パイナップルの輸入禁止措置の顛末(てんまつ)もしかりだ。

台湾パイナップルは全生産量の1割を中国への輸出に頼っていたから、農家にとっては深刻な事態である。

窮地に立つ台湾農家を救うべく代替輸入国として名乗りを上げたのが日本だった。東日本大震災の際の支援のお礼とばかりに、ネットを中心に台湾パイナップルの購買運動が始まったのだ。それによって芯まで甘くておいしい台湾パイナップルは広く日本人に知られるようになり、むしろ中国の輸入禁止以前より輸出高を伸ばしたという。習近平の歯ぎしりが聞こえてきそうだ。

台湾といえば、ここにきて麻生太郎(あそうたろう)副総理の「台湾有事は存立危機事態」発言(7月5

日）が光る。麻生は中国の台湾への武力侵攻は安全保障関連法に定めた集団的自衛権で対処できることを明言したのだ。これは重大なことだ。

　中国は当然ながら強く反発し、外務省の趙立堅外交部報道局副局長を通じ、「中日関係の政治的な基礎を損なう」と声明を出した。

　いままでの日本だったら、この脅しに腰砕けになり、すぐさま発言を撤回し、場合によっては、発言した閣僚の進退問題にまで発展していたかもしれないが、今回は撤回どころか、発言内容に関する言い訳じみた釈明もなかった。

　ともすれば口が軽いと批判を浴びる麻生だが、この発言が中国の反応を十分に想定して用意されていたものであることがわかる。いまのところ、野党からの突き上げもない。やはり、潮目は大きく変わったのだ。

　もはや、世界を巻き込んだ対中シフトは完成に向かいつつあるようだ。

　聖書のヨハネ黙示録に最終戦争（アルマゲドン）という言葉が出てくる。この世の終わりに神と邪悪な心に支配された者たちの最終戦争があり、生き残った信仰深き者たちだけが天国に生まれ変わるのだという。

　私はキリスト教信者でも終末論者でもないのだが、最近、この最終戦争という言葉にどこか予言めいたものを感じずにはいられないのだ。

21世紀初頭の現在、私たちが体験しようとしているのは、社会主義の冠をかぶった邪悪な中華帝国主義勢力とアメリカを中心とした自由主義陣営の、まさに「最終戦争」なのである。

好むと好まざるとにかかわらず、およそ主権国家と呼ばれる国は、必ずどちらかの陣営に入る選択を迫られるだろう。

第1章
世界は「習近平」を絶対に許さない
——G7から動き出した「中国包囲網」の衝撃

イギリスのコーンウォールで開催されたG7では、中国問題が議論の中心となった。菅義偉総理、ドイツ・メルケル首相、フランス・マクロン大統領、イギリス・ジョンソン首相、アメリカ・バイデン大統領、カナダ・トルドー首相、イタリア・ドラギ首相、フォン・デア・ライエン欧州委員長、ミシェルEU大統領（手前左から時計回り。2021年6月11日）。

G7の「主役」となった中国

2021年6月13日、イギリスのコーンウォールで開かれていたG7サミット（首脳会議）が閉幕した。閉会後、バイデン大統領は休む間もなくベルギーに飛び、翌14日にブリュッセルで開かれたNATO（北大西洋条約機構）の首脳会議にも出席している。

この両方の会議の主役は、まさに中国だった。出席国でもない中国が集中して議論の中心となったのだ。国際社会にとって、いま、中国問題がいかに大きな関心事であるかがわかるだろう。

当然ながら、中国に対する各国の思惑、考え方、利害関係の濃淡や温度差はあるものの、それを乗り越えて最終的に採択されたG7共同宣言には、いくつかの注目すべき点を見ることができる。

まず、ひとつは台湾問題。台湾海峡の平和と安定の重要性を、はっきり明記したのである。要するに、台湾問題は、決して中国が主張するような内政問題ではなく、国際社会にとっての共通問題であり、アジア地域の安定にとって最も重要な問題であると確認し合ったのだ。

これは、いわば国際社会の一員としての台湾の重要性を認め、かつ中国の武力による併呑を決して許さないという意思の表明であり、もちろん共同宣言でここまで台湾について言及されるのは、サミット史上初めてのことだった。

同時に、中国政府にとっては、いちばん触れられたくないところをひと突きされた思いだろう。

さらに加えられたもう一撃が、新疆ウイグル自治区をはじめとした人権問題だ。

中国政府に対し、少数民族に対する虐殺、強制労働、施設などへの強制収容、あるいは強制堕胎などの人権弾圧の事実を認め、基本的自由を尊重することを求めたのである。香港に関しても、国際的公約であった高度の自治を求めた。いずれも中国の急所ともいえる事案だ。

それから南シナ海問題に関しても懸念を表明し、緊張を高めるいかなる一方的な試みに対しても強く反対すると声明した。当然、「緊張」の範囲は東シナ海や朝鮮半島も含まれている。

人権、安全保障、台湾問題、香港問題……中国が抱えるほとんどすべての問題を俎上（そじょう）に上げて自由主義先進諸国が中国非難の態度を明らかにした、いや、対決姿勢を示したのである。まさに中国＝習近平が主役の、中国のためのサミットだったといっていい。

NATO共同声明の議題も中国問題に

翌日に開かれたNATOの首脳会議でも、中国問題を主要な議題のひとつとする共同声明が発表された。

声明には、「中国の野心の、自己主張の強い行動は、ルールに基づく国際秩序と同盟の、安全保障への体制上の挑戦だ」と明記されていた。

これは非常に重要なことで、なぜなら、NATOはご承知のとおり軍事同盟だ。その軍事同盟が、中国がもたらしている安全保障上の脅威は「体制上の挑戦」であると明言した事実はあまりにも重い。

要するに、ひとつの政策、二つの政策を問題視するのではなく、中華人民共和国の体制そのものが人類に対する挑戦であると言い切ったわけだ。

さらに、NATOの今後10年間の行動方針を定める政策文書である「NATO 203

0イニシアチブ」を発表し、このなかでも「同盟国の安全を損なう中国の活動を予測し、対応する能力を高める必要がある」と中国に対する最大級の警戒を示し、安全保障について議論を行う諮問機関を設置する方向で意見の一致を見ている。

ここで語られる安全保障上の脅威とは、物理的な武力にとどまらず、サイバー攻撃や情報戦も含まれている点で、じつに今日的（こんにちてき）だ。

また、報告書に「ロシアや中国がNATOの政治的亀裂を悪用し、同盟国の安全を危険にさらす」とあるのは、トランプ政権のNATO軽視の姿勢によってアメリカと欧州加盟国のあいだに生じた溝を中ロに利用されないよう警戒を深めるとともに、関係の修復と、さらなる結束の強化を訴えてのものである。バイデン大統領のNATO参加の意味のひとつも、そこにあった。

先進国トップの集まりであるG7、同じく先進国を中心とした軍事同盟であるNATO。この両方が対中国で歩調を合わせたわけである。

今後、中国は、人権問題と安全保障、この二つの問題で自由主義社会と対峙（たいじ）しなければならなくなった。

まさしく、世界最終戦争。世界は真っ二つに分かれたのだ。

国連第3委員会が出した中国批判声明

もちろん、自由主義諸国の「宣戦布告」は、発作的に行われたものではなく、長年の中国に対する不信感が顕在化し、対中政策に関する各国の利害が一致した結果であることはいうまでもない。

直近でいえば、2020年10月以来の世界各国の動きを見てみると、この冷戦がすでに避けられないものであることが理解できる。10月6日にニューヨークで開かれた国連総会の第3委員会――この第3委員会は人権をテーマとする会合である――の席上、ドイツの国連大使が、日本、アメリカ、イギリス、フランスを含む39カ国を代表して中国の人権抑圧を批判する声明を発表している。

この声明では、新疆ウイグル自治区における人権侵害の問題として、宗教に対する制限、広範囲かつ非人道的な監視システム、強制労働、非自発的な不妊手術。こういった問題をほとんどすべて取り上げていた。

また、中国共産党政権が香港で行っている政治的抑圧についても言及している。この声明に賛同した39カ国は、G7（アメリカ、カナダ、イギリス、フランス、ドイツ、イタリア、日本）に加え、オーストラリア、ニュージーランド、それに、EU（欧州連合）の加盟国の大半が含まれている。もはや、対中非難は世界世論といっていい。

そして、2020年11月18日、今度はイギリス、アメリカ、ニュージーランド、オーストラリア、カナダの5カ国、いわゆる「ファイブ・アイズ」（機密情報共有の協定5カ国）の外務大臣が、「中国が香港での中央政府批判デモを封じ込めるために組織的活動を行っており、これは国際的義務に違反する」という非難決議を発表しているのだ。

これに対して、中国の戦狼（せんろう）外交（攻撃的外交）で知られる趙立堅がさっそく反応し、19日に「5カ国は目玉を引き抜かれて失明しないように注意しろ」と、あたかもチンピラの捨て台詞（ぜりふ）のような言葉を吐いた。FIVE EYES（五つの目）に引っかけた言葉であるのはいうまでもない。

こういった暴言を吐いてまで牽制しようとするのは、声明の内容が図星を突いていることの証左で、かつ、中国の焦りが垣間見（かいまみ）える。まさか、ここまで世界が反中姿勢で歩調を合わせてこようとは思いもよらなかったのだろう。

中国が表明した「アメリカの五つの大罪論」

趙立堅は日本政府の福島第一原発の処理水の海洋放出を揶揄(やゆ)するために、葛飾北斎(かつしかほくさい)の浮世絵のパロディーを自身のツイッターに載せたような人物。批判というより、たんなるいやがらせである。やることが児戯にも等しいというか、レベルが北朝鮮か韓国並みになったなというのが正直な感想だ。

2021年4月7日、趙立堅は定例の記者会見で「(アメリカが主張する)ジェノサイドは荒唐無稽なウソの極み」と主張し、アメリカこそ歴史的に大罪を犯してきたとして、その五つを列挙してみせた(アメリカの五つの大罪論)。

①「植民地主義の罪」(主に開拓時代のネイティヴ・アメリカンの虐殺を指す)
②「レイシズムの罪」(黒人差別の問題。コロナ禍以後はアジア系住民への差別に拡大)
③「動乱輸出の罪」(2001年に「テロとの戦い」を掲げ、世界80カ国に紛争を輸出)
④「干渉主義の罪」(主権国家=中国のこと、に対する度重なる干渉と制裁)

⑤「ダブルスタンダードの罪」（新疆の発展と安定を無視し、一部の偽証言のみを根拠に中国を恣意的に批判する一方で、イスラム教徒をターゲットにした禁令を公布している）

自分に対する批判への反証ではなく、「お前も悪いことやっているではないか」と批判で返す幼児の論法である。いわゆる「口答え」というやつだ。私はこれを人民裁判式反米論法と呼んでいる。相手をなじることで、みずからを防御するのだ。

人民裁判では、いかに相手の「罪」を列挙するかが重要である。これに失敗すると、自分が罪人に仕立て上げられる可能性もあるからだ。

趙立堅、つまり中国共産党にとって、とくに重要なのは④と⑤で、①～③はそれを導くための「お前も悪い」論でしかない。

もっと厳密にいえば、①～③は「お前も悪い」で、④と⑤は「お前が悪い」である。個別の政策批判、政権批判ではなく、アメリカ国家そのものを断罪したことは、習政権の対米認識、対米姿勢の根本的変化の表れと見ることもできよう。

もはやアメリカから突きつけられた人権問題に対し、論理的に反証するつもりはないということだろう。

「中国の民族浄化＝ホロコースト」と認定

さらに、2021年になると、まず大きな動きとして、1月のトランプ政権の終焉(しゅうえん)と、バイデン新政権の発足が挙げられるだろう。

ここで注目すべきことがあった。トランプ政権最後の日である1月19日に当時のマイク・ポンペオ国務長官は異例の声明を発表し、新疆ウイグル自治区のウイグル人、あるいはその他の少数民族に対する中国政府の弾圧をジェノサイド（genocide＝大量虐殺）であると断言したのである。

ポンペオの後任であるバイデン政権のブリンケン国務長官も、「私の判断もそうなる」と同意を示し、バイデン政権もこのジェノサイド認定をそのまま踏襲することを明らかにしたのだ。

ジェノサイドが人権に対する最大級の犯罪であるのはいうまでもない。世界125カ国が批准するジェノサイド条約（集団殺害罪の防止および処罰に関する条約）では、ジェノサイドを「国民的、人種的、民族的、宗教的な集団の全部または一部を破壊する意図を持って行われる行為」と定義している。

要は、中国が行っている民族浄化はナチス・ドイツのホロコーストと同一だとアメリカが認定したということである。

ちなみに、「浄化」という語は、辞書で調べるまでもなく、「穢れたものを清める」という意味だ。他民族を「穢れたもの」として、それを清めるために大量虐殺するという、なんと独善的で傲慢、残忍、即物的で、非人倫的なもの言いであろうか。およそ血の通った人間なら寒気すら覚える言葉ではないかと思う。かのナチスさえユダヤ人虐殺を「穢れたものを清める」行為だなど正当化はしていない。

それはともかく、このポンペオのジェノサイド発言は、その衝撃度もさることながら、いまから見れば、ある種の象徴的な儀式のように思えてくる。それはトランプ政権からバイデン政権への世界の敵・中国との闘いの継承である。

トランプ政権では、主に貿易問題と安全保障問題が対中政策の要で、人権問題にまで踏み込むことはできなかったが、民主党政権では頼むぞとバトンを渡した格好だ。バイデン政権も、しかとそれを継承したということである。

序章でも触れたが、アメリカ・ファーストを掲げるトランプ政権では米中の2国間対決という局面になりがちだった。

とはいえ、トランプも中国の人権問題、とりわけウイグルのそれに無関心であったわけではないし、彼もウイグルの置かれた現状を理解し、憂慮していたはずだ。

その証拠に、任期満了の半年前の２０２０年6月にウイグル人権法案に署名しているのである。ただ、それは彼にとって制裁カードの一枚という側面が強かったが。

おそらく、トランプにウイグルの人権問題をレクチャーしたのは、日本の安倍晋三元総理ではないか。安倍がまいた種が、バイデン政権になって、ようやく芽を吹いたということだ。

ちなみに、安倍は２０１９年12月の訪中で、習近平に直接ウイグル問題と香港問題に触れ、透明性のある説明を求めている。中国に対してここまで言えた日本のリーダーを私は知らない。

中国共産党結党１００周年に嬉々として祝辞を送った日本の政治家は与野党にかかわらず唾棄に値する。じつは中国が最も軽蔑し、かつ嘲笑の対象にしているのが、自民党内の媚中派であることを知らなければならない。

すでにEUは中国を見かぎっている

話を戻そう。

アメリカ政府のジェノサイド認定は、ひとりアメリカにとどまらず、ひとつの国際的な流れをつくりだしたということで、その意義はとても大きい。

同年2月22日、カナダの下院の議会が一連のウイグル人迫害をジェノサイドとして認定し、非難する動議を可決。26日にはオランダ議会も同じく動議を可決している。やや遅れて4月にはイギリス下院も議会で同様のジェノサイドの認定と非難の動議を採択したのである。

ポンペオの発言が最初のドミノとなり、西側の4カ国の政府と議会から中国はジェノサイドの犯罪国家だと認定されることになった。

この流れはさらに広がって、5月20日にはリトアニアが、7月8日にはベルギー連邦議会下院がジェノサイド認定の決議を採択している。同様の採択は、ますます増えることだろう。

例によって、中国はこの流れに大いに反発し、趙立堅は例の「アメリカの五つの大罪」記者会見で報告書を「紙くず」とこき下ろしたが、その子どもじみた態度は世界の失笑を買うに十分だった。

むろん、ジェノサイドと認定した以上、西側諸国は何か行動を取らなければならない。それに関しては2021年3月22日に、アメリカ、EU、イギリス、カナダが一斉に中国に制裁を発動している。

制裁の先陣を切ったのはEUだ。EUが中国当局者4人と、ウイグル人たちの収容施設を管理する公安当局の組織を対象に、EU諸国への入国を禁じたり、あるいはEUのなかでの資産を凍結したりというような、厳格な措置を発表したのである。EU諸国が中国に制裁を加えるのは天安門事件以来、約30年ぶりのことになる。

EUの27カ国の加盟国は、それぞれ歴史も伝統も違うし、そればかりか戦争をしていた国もある。中国との関係性も濃淡いろいろあるわけだが、それでも一致団結し、足並みをそろえて制裁を加えることは非常に注目すべきことだし、時代の流れを感じるのだ。

長引くコロナ禍のなかで目に見えない亀裂が生じていたEU諸国が、対中制裁を通して再びひとつになれることは、やはり歓迎すべきことではないか。とにかく、いまは小異を捨てて大同につくときである。

もちろん、すべての国が純粋に人権問題への憤りだけで動いたとはいわない。微妙な損得勘定も働いたであろう。

お金で各国の口をふさいできた中国

中国は一帯一路を推し進めるために、途上国だけではなく、EUにもかなりのお金をばらまいてきた。いわばお金で口をふさいできたのだ。

EUではないが、トルコのレジェップ・タイイップ・エルドアン大統領が、2019年7月の北京詣でのあとに、「ウイグル人は幸せに暮らしている」などと信じがたい発言をしたのは、まだ記憶に新しい。

チャイニーズマネーの前では同じイスラム教徒、同じトルキッシュであるウイグル人が現在進行形で受けている迫害も目に入らないらしい。

だが、中国がそうやってお金をばらまいて世界の歓心を買ってこられたのも、外貨の6割を占めるという対米黒字のおかげ。習近平が愚かにもトランプの関税攻撃に対して真っ向からケンカを買い、墓穴を掘ったおかげで、その外貨もすでに枯渇し始めており、いままでのような大盤振る舞いができなくなっている。お金の切れ目が縁の切れ目とばかり、EUが中国を見かぎり始めたというところだろう。

当然ながら、途上国も追随していくことになる。そのための受け皿づくりも始まっている。2021年6月のG7で、一帯一路に対抗する途上国向けインフラ支援対策B3W(Build Back Better World)の立ち上げが発表されたのは朗報だった。

EUの制裁発動と同時に歩調を合わせるように、アメリカ、イギリス、カナダも同じような制裁を発動し、ウイグル人などの少数民族への抑圧を停止するように中国政府に要求する声明も発表した。

このように、欧州と北米が時を同じくして、まるで申し合わせたかのように制裁に踏み切ったことは、まさに歴史的な光景だといえる。

2020年の国連の第3委員会で、ドイツ国連大使が39カ国を代表して中国の人権抑圧を批判したことから始まった欧州の動きが、徐々にひとつの大きなうねりになったということだろう。

とくに、ここにきて欧州の動きからは目が離せない。2021年7月の欧州会議で、中国の人権問題で改善が見えない場合は、２０２２年２月に開催が予定されている北京冬季五輪への国の代表や外交官の出席を見合わせるようＥＵに求める決議を、賛成５７８、反対29、棄権73という驚異的な賛成票を得て可決してしまった。

武漢（ぶかん）発のコロナ禍を最も被ったのが欧州だ。いまもその閉塞感の真っただ中にある。中国に対する怒りが、ここにきて一気に噴き出した感がある。

真っ先に声を上げるべき「人権先進国」日本

要するに、普遍的な価値観を共有する自由世界である西側諸国が、団結して中国の人権侵害や民族弾圧に立ち上がり、具体的な措置（制裁）を突きつける。しかし、それに対して中国は反発し、またぞろ西側の制裁に報復する措置を発動し、さらなる西側の怒りを買うというループ状態にある。

だが、この制裁合戦は米中の関税戦争と同じで、時間がかかればかかるほど、中国が不利になっていくのは明白だ。それを承知で、習近平は世界を敵に回そうというのだろうか。

人権問題をめぐっての西側と中国の対立は、もはや修復不可能かつ決定的なものになってしまった。西側の自由主義勢力からすれば、人権と自由を守ることは絶対的な価値観であって、いかなる理由があっても中国のやり方は容認できない。中国の人権問題で妥協する余地は、自由世界にはないのだ。

むろん、趙立堅がいうように、欧米諸国も、過去には奴隷貿易をはじめ、人権に関しては黒い歴史もたしかにあった。しかし、だからこそ、なおさら人権に関して喧しい。人権の尊重、それは西欧社会が近代を開くときに記した約束の言葉なのだ。

私は世界中を見回して、最も人権の優等生は日本と日本人だと思っている。

日本には歴史的に見て奴隷という存在がない。先住民を虐殺して土地を奪うようなこともしていない。未成熟なものだったとはいえ、古代から裁判制度があった。江戸時代の士農工商も、階級というより職業区分のようなものと考えるべきだ。農民も読み書きができたのは驚異的なことである。

そして、現在の日本は、在日の外国人さえ生活保護を受けることができるという、まさに人権保護における一流国家である。

私は、日本にこそ、世界有数の人権先進国として自由主義社会をリードするかたちで、真っ先に中国の人権問題に声を上げてほしかったと思う。その資格は十分あるはずだ。

しかし、戦後の日本はすっかり自信をなくし、戦争中は悪いことばかりしていたと思わされている。中国にはひどいことをしてきたのだから批判できないと思い込んでいたとしたら、早くその洗脳から目覚めてもらいたいものである。

海上ではすでに始まっている「冷戦」

一方、中国が一党独裁の維持のためにも国内の人権抑圧をやめることは絶対にありえない。この問題で西側に譲歩することもない。

ということは、今後の長期間においても、人権問題をめぐっての自由世界と全体主義の中国との戦いは、妥協する余地のない価値観の戦いとして展開されるはずだ。

中国vs.世界の戦いのひとつの側面が、何度もいう人権問題。それと同時に、もうひとつの側面に、安全保障の問題がある。これに関していえば、冷戦はすでに始まっているのである。

2020年10月6日、ニューヨークの国連でドイツ代表が中国の人権問題を批判した、まさに同じ日に、じつは東京で重要な国際会議が開かれていた。日本、アメリカ、オーストラリア、そしてインド、いわゆるクアッドといわれる4カ国による外務大臣会談である。

この会議の中心テーマは「自由で開かれたインド太平洋」の実現。要するに、インド太平洋の自由と解放であり、いうまでもなく、海洋進出を強める中国を念頭に置いたもので、4カ国の連携を強化していくことで合意したのである。連携の目的は当然、インド太平洋の自由と、地図上を脅かす中国の封じ込めだ。

ちなみに、クアッドの正式名称はQuadrilateral Security Dialogue（4カ国戦略対話）。設立は2007年、提唱者は当時の日本の安倍総理だ。経済評論家の渡邉哲也（わたなべてつや）は、このクアッド（当時はその呼称はまだなかったが）構想こそ、第1次安倍政権の最高のレガシー（功績）とまでいっている。

2012年以降、アメリカは、いわゆる「航行の自由作戦」を、中国が領海を主張する南シナ海の西沙（せいさ）諸島周辺に展開し、日本もこれに参加しているが、これもクアッドの枠組みから生まれたもので、また、オーストラリアとインドが組むことにより、いざというときにマラッカ海峡を閉鎖し、中国の喉元を絞め上げることもできる。まさに一石数鳥の見事な枠組みであるとの分析だ。

さらに、2021年、バイデン政権の成立に合わせて、バイデン大統領の主導で、オンラインによる4カ国首脳会議が開催され、対中4カ国連盟はさらに強固なものとなった。

そして、3月16日には、今度は日本の菅義偉(すがよしひで)政権の発足に合わせたかのように、いわゆる「2プラス2」(ツー・プラス・ツー)会議、日米両国の外務大臣と防衛大臣による会議が東京で行われたのである。

この会議後に発表された共同文書で注目すべき点は、中国を名指しで「既成の国際秩序と合致しない行動は、日米同盟、国際社会に課題を提起している」という表現だ。要するに、これは「中国よ、お前は世界の問題児であることを自覚せよ」といっているのである。

中国の覇権主義的行動を日米同盟の課題だと認定するといっているのだ。

「台湾有事は、集団的自衛権行使の範囲に入る」

これに関しては、中国は日米の本気度を感じたであろう。

そもそも日米同盟は、ソビエト連邦(現ロシア)の脅威に備えるため、日本の国土の安全を守るために結ばれた軍事同盟だったわけだ。しかし、1989年にソ連が崩壊して以来30年間、日米同盟の存在意義が問われ続けることとなった。

案の定、無責任な日本のリベラルからは日米同盟解体論まで上がっていた。しかし、ここにきて、日米同盟の意義がグッと再認識されてきた感がある。

要するに、中国の侵略拡張から日本とアジアを守る。それが新しい時代における日米同盟の存在意義になったのである。同盟の結束はより強固なものとして確認されたのではないか。

ちょうど、やはり対ソ連の軍事同盟として結ばれたNATOが旧冷戦の終結後、一時的に存在価値が薄れたものの、中国vs.世界の新冷戦構造のなかで、その重要度があらためてクローズアップされたのと似ている。

さらに4月、日米首脳会談後の共同声明では、約半世紀ぶりに台湾について言及があり、台湾海峡の平和と安定の重要性が明記された。日米同盟は、もはや日本一国を守るための同盟ではなく、その守備範囲を拡大したのである。少なくとも、台湾は明確にその範囲に入るわけで、日本の役割はいっそう大きくなっているという認識が必要だ。

麻生副総理の、「台湾有事になれば、存立危機事態にかかわり、集団的自衛権行使の範囲に入る」という発言は、まさに的を射たものであり、かつ頼もしい言葉である。日本もようやくここまで言えるようになったかと感じ入った次第だ。

願わくは、ここで一気に憲法改正の論議に弾みをつけてもらいたい。

成長し、体が大きくなれば、いままで着ていた服は着られなくなり、新しい服が必要となるのと同じで、使命と役割が大きくなれば、それに見合った憲法が必要だろう。いままで解釈改憲や対症療法的な新法で、その都度その都度、ほつれを繕ってごまかしてきたけれども、それももう限界に来ている。

日本の、いわゆるお花畑と呼ばれるリベラル派は、国境レス、グローバリズムを謳いながら、一方で、安全保障に関しては一国平和主義の空想に閉じこもっている。明らかな矛盾だ。近隣諸国とは仲よくやれといいながら、近隣の国が武力攻撃を受けても知らん顔を通せという。近隣の国の危機は、すなわち自国の危機であることは明白なのに。

彼らにかかれば、麻生発言も戦争準備の危険な発言ということになろう。しかし、その心配は無用。事実はまったく逆なのだ。麻生発言が出た直後、中国は7月9日に行う予定だった中国海警局の対日軍事演習を取りやめたではないか。

もはや一国で国を守る時代ではない。同じく一国の危機は近隣の国の危機を意味することを知らねばならない。

世界から期待される日本の海上自衛隊

しかも、この日米同盟による中国の封じ込めに、フランス、イギリス、それにドイツという欧州の代表3カ国がコミットし、新たな軍事連携を形成しつつあるのである。

2021年5月9日、長崎県の佐世保港（させぼこう）にフランス海軍が寄港し、フランス陸軍、それにアメリカ海兵隊が加わり、日本の陸上自衛隊と共同訓練を行っている。日米の共同訓練はよくあることだが、これにフランスが入ってくるのは、おそらく初めてではないか。

それも、共同訓練の内容は、敵に占領された離島の奪取とか、あるいは市街戦まで想定したものだった。尖閣（せんかく）有事、あるいは台湾有事を意識したものであるのは明らかだ。

ちなみに、今回参加のフランス海軍のトネールは、強襲揚陸艦で揚陸用の車両60台、ヘリコプター16機を搭載可能である。フリゲート艦シュルクーフは、対艦ミサイル発射機、対空ミサイル発射機などを装備しているという。

いざとなったら、フランスも日米と肩を並べて中国と戦うという意思表示になったと思う。この共同訓練は今後も定例化していくという。

さて、フランスの次はイギリスである。

同月22日、イギリス最新鋭の空母であるクイーン・エリザベスを中心とする空母打撃群が極東の海に向かって出航。まず、地中海からインド洋を航海し、シンガポール、インドにも寄港し、南シナ海を通ってフィリピン海に向かう7カ月間の航海を経て9月4日に横須賀(よこすか)に入港。8日から関東東方の海空域で海上自衛隊とイギリス、アメリカ、カナダ、オランダの共同訓練を実施した。

この空母群の航海コースを地図上で見ると、南シナ海、フィリピン海、それに日本の海域。地図上で確認すれば明白だが、中国が紛争やもめごとを起こしている地域とおもしろいように重なるのだ。イギリスの戦略的意図がどこにあるか、もうおわかりになろう。

さらに、ドイツ。

2020年4月13日に日独の「2プラス2」テレビ会議が開かれ、「自由で開かれたインド太平洋」の実現に向けて緊密に連携していくことを確認した。

日本側の出席者は茂木敏充(もてぎとしみつ)外務大臣と岸信夫(きしのぶお)防衛大臣、ドイツ側はハイコ・マース外務大臣とアンネグレート・クランプカレンバウアー国防大臣。茂木外務大臣は冒頭に、「国際社会では、民主主義、人権、法の支配といった基本的価値への挑戦が激化している」と述べた。

マース外務大臣の「日本は最も重要で信頼できるパートナー国のひとつだ」の言葉は、決して外交辞令だけではない。日本への期待はますます高まると同時に、責任も大きくなっていくはずである。

ドイツは8月にインド太平洋地域にフリゲート艦バイエルンを派遣した。2プラス2では海上自衛隊との共同訓練を調整することで一致した。防衛装備品の技術協力も進める。日本寄港は11月になる予定（2021年9月現在）で、同月に予定される海上自衛隊の大規模演習に合流し、これにアメリカ海軍艦艇も加わり、日米独の共同訓練となりそうだ。

ドイツがアジア地域で艦艇を投入して共同訓練を実施するのは初めてで、東・南シナ海で海洋進出を強めている中国を牽制する枠組みが、ここでも拡大することになろう。

21世紀はアジアの時代などといわれて久しい。2021年には、アメリカばかりかフランス、ドイツ、イギリス、オランダ、カナダといったNATOの主要国かつ世界トップクラスの海軍国の船がアジアの海で海上自衛隊と共同訓練を行う。まさしく21世紀の国際秩序の要、主役はアジアなのだ。

おっと、インドを忘れてはいけない。

6月13日にインド洋にて海上自衛隊の練習艦「かしま」「せとゆき」がインド海軍のコルベット艦クリシュと共同訓練。同月29日には東シナ海においてインド海軍のコルベット艦キルタンが海上自衛隊の補給艦「はまな」と共同訓練を行っているのである。東シナ海における日印共同訓練は2012年以降2回目となる。

ご承知のとおり、インド軍と中国人民解放軍はヒマラヤ地域の国境線で準戦争状態にある。現在はにらみ合い状態が続いているが、いつまた衝突が起こるかわからない。水爆を保有し、親日国でもあるインドは、ぜひとも西側の陣営に引きとめておかなくてはいけない心強い味方だ。

安全保障上の問題だけではなく、インドは潜在的な工業力や、中国に代わる世界の工場としての魅力、あるいはＩＴ関係の人材の豊富さなどにおいても、西側の対中戦略にとって最も重要な国といえる。

自由で開かれた世界か、全体主義に抑圧される世界か

世界の動きが明らかに中国の封じ込めと包囲網の構築に向かっているのはおわかりにな

っただろう。

この地球上で、いま、ひとつの大きな対立構図ができあがっているのだ。人権侵害と平和的秩序の破壊の両面において、中国が自由世界の共通した敵になった。この中国に対して自由世界を代表する西側の主要国が、人権を守る、平和を守るという二つの戦いにおいて団結しようとしている。

そういう意味では、2020年の10月から2021年7月までの一連の動きは、まさに中国vs.世界の最終戦争、新しい冷戦の始まりのゴングを予感させる。

旧冷戦はアメリカを中心とした西側陣営と旧ソ連を中心とした社会主義陣営の対立という構造だった。それがベルリンの壁の崩壊、続くソ連の解体をもって終焉した。30年も前のことである。

しかし、まさに、それからの三十数年間において、中国が新興の帝国として台頭してきた。経済力も軍事力も身につけ、露骨に、赤裸々に、自由世界が信奉する普遍的価値観に挑戦状を叩(たた)きつけてきたのだ。しかも、インド太平洋の平和的秩序を脅かす存在となって。

その中国をいかに封じ込めるか。自由、人権、平和を謳う西側の団結で新冷戦の時代を迎える。これは、まさに歴史の必然性なのかもしれない。

そして、ある意味、これは人類と世界にとっての最終戦争にもなる。

この戦いに勝つかどうかによって、今後の世界が自由で開かれた世界になるか、それとも全体主義に抑圧される世界になるかが決まるのである。

第2章 「習近平思想」の正体

――「毛沢東の再来」を狙う野望のルーツとは

北京で毛沢東主席（中央）と握手する田中角栄総理。左には周恩来首相の姿もある。毛沢東は、周恩来から田中にさんざん文句を言わせ、おもむろに「ケンカはもう済みましたか？」と笑顔で切り出した。その人心掌握術を、習近平は世界の首脳に対して発揮できるのか（1972年9月27日）。

個人独裁を強化する習近平

習政権は２０１２年11月15日の党大会で事実上の発足を見たわけだが、そのときの習近平の肩書は、中国共産党第５代中央委員会総書記および中国共産党第６代中央軍事委員会主席だった。そして翌２０１３年３月14日、晴れて中華人民共和国の第７代国家主席の座につき、今日（こんにち）まで来ている。

彼の前任である胡錦濤（こきんとう）は共産党内のルールに従って共産党総書記と国家主席を２期10年務めて引退。習近平は、そのあとを継いで共産党総書記、そして国家主席になったわけである。

習政権がスタートするや、序章でも触れた「中華民族の偉大なる復興」というスローガンを掲げ、海軍力強化を急ぎ、侵略的な姿勢を明確に打ち出した。

国内的にはナショナリズムに訴えかけながら、政治体制的には毛沢東時代に逆戻りさせるかたちで個人独裁を強めていったのだ。

中国共産党の歴史を見れば、１９４９年から１９７６年までが毛沢東の時代で、彼は人類史のなかでも比類なき独裁者ぶりを発揮し、人民を「竹のカーテン」で閉じ込め、大躍進や文革などの無謀な政策で無数の人命を食いものにしていった。人命だけではなく、歴史や文化もすべて破壊され、人心ごと国は荒廃していった。

毛沢東の死後、1979年に鄧小平(とうしょうへい)が権力を掌握することに成功する。鄧小平時代になっても中国共産党の一党独裁は強固なものだったが、毛沢東時代の反省もあって、個人独裁を改めた。トップの権力者がすべての決定権を握り、国を支配するやり方をやめたのである。

というのも、鄧小平自身、じつは毛沢東の個人独裁の被害者でもあったからだ。毛沢東の手によって2回も失脚させられ、その都度、不屈の精神で権力の中枢に返り咲いた男なのだ。

鄧小平は毛沢東の個人独裁を否定するために二つの改革を行った。ひとつが集団指導体制の導入。ひとりがすべてを決めるのではなく、いわゆる政治局、あるいは政治局の常務委員の5人、または7人のメンバーが協議のうえで意思決定をするシステムを導入したのである。日本人から見れば当たり前のことに思えるかもしれないが、毛沢東の恐怖政治を知る者にすれば、これは画期的なことだといえた。

毛沢東時代の「終身制」を廃止した鄧小平

権力者ひとりに決定権を与えることの恐ろしさは、まさに毛沢東が証明している。毛沢東は農民出身といわれているが、農夫であって農業の専門家ではなかった。少なくとも近代農法とは無縁の人であるのはたしかだ。

ある日、毛沢東はこんなことを思いついた。ひとつの畑にいままでの2倍の量の種をまけば2倍収穫がある。3倍種をまけば3倍収穫があるはずだと。今季から種を例年の3倍まけと「お触れ」を出した。結果的に、土地がやせ、作物も育たず、大量の餓死者を出したのだ。愚かなことに。

また、スズメが畑の新芽を食い荒らして困るという話を聞いた毛沢東はスズメ退治を徹底せよという「お触れ」も出した。それぞれの村にノルマを課して競わせたから、農夫は農作業をほったらかしにして、来る日も来る日もスズメ退治に没頭するしかなかった。おかげで、すっかりスズメを見ることはなくなったが、天敵のスズメがいなくなった分、葉や根を食い荒らす虫が大量発生し、やはり餓死者を大量に生んだ。

毛沢東の側近にも農業を知る者はいたはずだ。しかし、「同志、そんなことをすれば育つ作物も育たなくなりますよ」「一定数のスズメは、むしろ有益です」と進言する者は誰ひとりいなかった。

そんな進言をしたら、偉大なる毛主席の不興を買い、良くて失脚、悪くすれば死が待っている。現在の北朝鮮の体制が、まさにこれだ。誰も「将軍様の卓越したご指導」に苦言を呈することなどできない。『裸の王様』の忠臣よろしく、全裸の王様の「素敵なお召しもの」を、あの手この手でほめそやすしかないのだ。

個人独裁と恐怖政治は、ひと握りの特権階級と8億人（当時の人口）の阿Q（魯迅小説の主人公。失敗しても都合よく解釈して成功と思い込む精神構造の持ち主）を生む。少なくとも、鄧小平はそのバカバカしさを知っていた。毛沢東は独裁者だが、鄧小平は政治家だったのだ。

それから鄧小平が導入したもうひとつのものが、最高指導部のメンバーたちの定年制である。毛沢東時代は最高指導者たちは終身制だった。毛沢東は死ぬまで共産党主席だったし、周恩来は死ぬまで首相だった。

この権力の終身制の弊害は大きい。毛沢東は晩年、老人性認知症だったという説がある。文革という狂気の運動も、彼の認知症のもとに行われたといわれているのだ。また、その病ゆえに、江青ら四人組の暴走を許してしまったとも。

やはり権力者、とりわけ彼のようなカリスマ的な権力者は、みずから引き際を考えておかないと、とんでもないことになる。老いた権力者の威を借りた近親者が好き勝手に国を動かしかねないからだ。裸の王様におべっかを使っていたやつらが王様に代わって政を行うと思えばいい。まさに中国伝統の宦官政治だ。

鄧小平は、その終身制をやめた。みずからも命あるうちに権力者の座から降り、すべての公職から引退している。そこは有言実行で徹底していた。

彼の跡を継ぐ江沢民も13年務めて引退し、バトンを胡錦濤に渡したのである。胡錦濤はこのルールを最も厳格に守ったといえる。2期10年務めて完全に引退するのである。

鄧小平も江沢民も胡錦濤も、強力な権力者であったが、任期があるということでいえば、独裁者にはなりようもなかった。院政は考えていただろうが、ある意味、職業的な権力者に満足していた。

よみがえる個人独裁と恐怖政治

しかし、習近平は鄧小平以来守られていた二つのルールとシステムを破棄してしまったのである。集団指導体制を完全に破り、いま、中国共産党は完全に彼の個人独裁主義の体制になってしまったのだ。

2021年3月1日付「人民日報」が一面トップでこんな記事を掲載している。それによれば、中国共産党の政治局員、書記処（中国共産党中央書記処）の書記、それと全国人民代表大会（全人代）の常務委員会、国務院、政治協商会議、最高人民法院、最高人民検察院といった党のそれぞれの組織のトップたちが一斉に習近平に対して書面による職務報告を行うことが義務づけられたというのだ。

これは完全に権力が一極集中で習近平の手に握られている状況を意味する。逆らう者、謀反（むほん）を画策する者、いや、たんに習近平を批判する者にも過酷な運命が待ち受けていることになる。まさに独裁だ。

この報告システムは、じつは数年前から始まっているが、今回はこれをさらに拡大し、全人代の常務委員も、国務委員も、最高裁判所の裁判官も、習近平個人に職務報告を提出しなければならないというのだ。

じつは、ここまで徹底した統制は中国共産党史上初めてのことといっていい。あの毛沢東の時代ですら毛沢東個人に職務報告を提出することはなかった。簡単にいえば、習近平という個人がみんなの仕事を監視していることにほかならない。しかし、彼を監視する者はいないのだ。

それだけでなく、習政権のもとでは憲法を改正し、国家主席の2期10年の任期まで撤回してしまった。事実上、終身国家主席の復活である。

死ぬまで最高権力を握る、要するに完全に毛沢東政治への露骨な回帰であり、先祖返りである。国際社会から見れば、習近平は、鄧小平の改革、脱独裁路線、開放の数十年間の成果を一瞬のうちに吹っ飛ばして毛沢東時代に一気に逆行するのかという話になってくるのだ。

その一方、国内に対する統制も毛沢東時代並みに厳しくなってきている。国民の監視も徹底しており、監視カメラだけでも国内に25億台設置されているという。最新式のAI（人工知能）技術によって瞳の虹彩を読み取るなど、かなり精度の高い顔認識が可能だといわれている。

いうまでもなく、このようなハイテクノロジーは毛沢東時代にはなかったものである。人を幸福にさせるための先端技術も、独裁者にかかれば、人を監視し、操る悪魔の道具に変わるということだ。

さらにいえば、毛沢東時代の密告制度も復活の兆しがあるという。子が親を密告し、妻が夫を監視し、昨日の友が同志を吊るし上げる、あの人間不信と絶望の時代に舞い戻ろうというのか。

西側社会からすれば、中国に対する二つの期待は完全に裏切られた格好である。アメリカも日本も、中国は経済が成長して豊かになれば、徐々に穏やかな民主主義国家に移行していくと思っていた。国際秩序と普遍的価値観を受け入れる国になることを期待していたのだ。

そのために投資もし、技術移転もしてきた。もちろん、その裏にはソ連に対する牽制の意味もあったが。中国はそんな西側（というかアメリカ）の足元をうまく見ながら、お金、人、技術を吸い上げ、その間に習近平という怪物を育ててきたのである。

世界に中国の恐ろしさを知らしめた香港の惨状

むしろ中国が強くなればなるほど国際秩序を破壊する。南シナ海でも東シナ海でも彼らの横暴な振る舞いをわれわれは見てきた。しかし、それでも中国への幻想を捨て切れない政治家や企業人が日本にもアメリカにもいるのもたしかだ。

だが、さすがのアメリカのチャイナロビーたちに冷や水を浴びせ、目覚めさせるきっかけとなったのは、一連の香港の騒動である。鄧小平が香港の返還を図るために、いわゆる一国二制度の50年間の堅持を国際公約に挙げたが、習政権になって、その約束は完全に反故にされたのだ。そして、中国本土の独裁政治のなかに、香港は飲み込まれていってしまった。

一国二制度の象徴である三つの自由（表現、集会、報道）の保証は、ことごとく破られている。

まず、「表現の自由」に関してはデモ活動が武力によって鎮圧され、「集会の自由」に関してはは天安門事件の追悼集会も開けなかった。残る「報道の自由」も「蘋果（リンゴ）日報」の強制廃刊によって完全に潰(つい)えてしまったのだ。香港民主化運動のシンボル的存在だったアグネス・チョウ（周庭(しゅうてい)）の拘束もショッキングなニュースだった。

チョウは大の日本びいきとして知られ、流暢(りゅうちょう)な日本語を話し、日本語でツイッターもやっている。日本語は日本のアニメやポップスで覚えたという。彼女は決して中国当局が危険視するような過激な独立運動家ではなく、主張するのは普通選挙と高度な自治であり、繰り返しになるが、これは本来、中国共産党が国際公約として認めたことなのである。

彼女の逮捕は、すでに香港が毛沢東時代の恐怖政治、警察政治の手に落ちていることを表していた。日本のマスコミ、とりわけ地上波はチョウの親日ぶりやアイドル性に乗っかった報道が多く、彼女の活動家としての側面や、彼女の拘束がいかに恐ろしいことかという点については強い関心を示していないようで不満が残る。

それはともかく、香港の置かれた現状が西側諸国の中国に向けた目を変えさせる大きな転機になったのはたしかである。

コロナ禍で中国がばらまいた「災厄」

中国が共産党一党、ありていにいえば中華人民共和国のままでいれば、決して民主国にはなれないと誰もが理解したはずだ。むしろ一日一秒でもこの体制を延命させておけば、地図上の平和を破壊する勢力がますます強大になっていくことは、もはや明確である。

そんな状況のなか、2020年に世界を震撼（しんかん）させたコロナ禍は国際社会の中国不信を極限まで高める結果をもたらした。

最初に武漢で新型ウイルスが広がった時点で、中国は情報を完全に隠蔽し、しかも国際社会に対してウソをつき通した。「拡大はもう収まった」「人から人への感染は確認されていない」というウソである。もし初期段階で中国があらゆる情報を開示し、かつ武漢からの人の流出を抑えておいたなら、ここまでの世界的な拡大は防げていたはずだろう。

しかし、中国政府は春節（しゅんせつ）の休暇と重なるのをいいことに人々の移動を許してしまった。中国国内はむろん、富裕層は休みを利用して世界各国に観光に出かけ、中国当局のウソを信じた各国がそれを受け入れた結果、世界的感染拡大につながったのである。

しかも、感染を拡大させたあと、中国は国際社会に対して、いまにいたるまでお詫びのひとつもない。そればかりか、開き直るばかりで、ウイルスはアフリカの労働者が持ち込んだとか、アメリカ軍が意図的に広めたなどと、子どもじみた責任転嫁まで始める始末だ。

武漢発のコロナ禍で世界が被った経済損失は100兆円や200兆円では済まない。何より失われた命は返ってはこないのだ。

もはや誰の目から見ても、中国は世界にとっての厄災そのものでしかない。これまで経済や外交、国防といった政治レベルだった対中警戒が、コロナ禍以降、一般の国民感情レベルにまで広がっているのである。

世界を呆れさせた中国人のマナー

中国人観光客や労働者のマナーの悪さも、それに拍車をかけているようである。

イタリアのミラノでは、中国人が下水道内を勝手に改造し、ベッドや流し台を持ち込み、中国人労働者のための格安の簡易宿泊所を経営していたことが発覚したことがあった。やはりというか、労働者のほとんどが不法入国者だったという。夜にマンホールを開け、ぞろぞろと人が蟻のように這い出てくる光景を想像すると無気味だ。

ミラノはイタリアのなかでも、ここ数年、中国人移住者の増加が目立ち、ごく初期からコロナ禍が報告された都市でもある。

同じくイタリアでの話だが、高級ブランドのグッチの店先で、中国人観光客の一団がしゃがみ込んでカップ麺をすすっている写真がネット上に拡散されて問題になったことがあった。

ところ変わって、アメリカはニューヨーク。高級ホテルのプールサイドに全裸で悠然と歩いている中国人男性がいて厳重注意を受けたという話を聞いた。そればかりか、プールのなかで放尿する中国人観光客があとを絶たず、慌てて「中国人お断り」の貼り紙をしたホテルもあったそうだ。

ところ構わず痰を吐くのも中国人の悪癖のひとつだろう。黄砂で空気が悪いせいかわからないが、中国人は地面に向けてよく唾や痰を吐く。うっかり踏んでしまい、痰に靴が滑って転んでしまうなんてこともあるようだ。

1982年、イギリスのマーガレット・サッチャー首相が訪中して鄧小平と会談したが、その際、鄧小平は足元に陶器の痰壺を置き、話の途中でひときわ大きな声を上げて痰を吐いてみせたという。さすがの鉄の女もこれには気勢を削がれ、以後、交渉は鄧小平ペースで進んでいったといわれる。

このとき、イギリス側が交渉のテーブルに上げたのが香港の租借の延長の要請だった。もし鄧小平が痰を吐かなかったら香港の現在の悲劇もなかったかもしれないというのは悪いジョークか。

それはともかく、世界が感染症に怯えるなか、あたりはばからず唾や痰を残していく中国人観光客は、それだけで現地の人の眉をひそめさせるのに十分なのである。

「アジア人ヘイト」の原因をつくった中国人の行動

同じ漢民族として、これらの話が耳に入るたびに赤面せざるをえないが、世界は大人というか、中国人のこういった非常識さも、文化の違いということで、ある程度笑い話の類いとして処理してくれていたようである。

しかし、これらを日常的に目撃している現地の人にすれば憤懣の種であることは間違いない。長引くコロナ禍で、この憤懣が排外的行動に変わることもある。これが欧米各国で起こっているアジア人へイトだ。

中国人に間違えられて暴力を受けたという韓国系住民の話もニュースとなって伝わってきている。欧米人には中国人、韓国人と日本人との区別がなんとなくつくらしく、日本人が被害にあったという話はあまり聞いたことはないが、今後はどうなるかわからない。

もちろん、どんな理由があるにせよ、暴力は振るうほうに100%非があるわけだが、その大本のきっかけをつくったのは中国人の身勝手で自己中心的な行動だ。それによってとばっちりを受けるほうは、たまったものではない。

2020年、アメリカのワシントンD.C.に拠点を置く、主に意識調査の情報収集を目的とした権威あるシンクタンク、ピュー・リサーチ・センターが、欧州、北米、東アジアの14カ国を対象に実施した中国に対する大衆感情に関する世論調査では、日本においては中国に対して否定的な見方を持つのは86%、アメリカでは80%、スウェーデンでは85%、オーストラリアでは81%、比較的親中といわれている韓国でも75%という驚くべき結果が出た。2019年の調査より急激に増えていることは事実だ。

要するに2020年はコロナ禍と香港、この二つのイシューがあって、先進国からアジア諸国にいたる一般国民の中国に対する認識が急速度で悪化したのである。俗な言葉でいえば嫌中感情。それが世界潮流となりつつあるのだ。

中国の危機を救った「天皇陛下の権威」

とりわけアメリカの怒りはすさまじいものがあるだろう。

ニクソン訪中から50年、アメリカは中国に騙(だま)され続けてきたという思いがある。中国という怪物を育て上げたのはアメリカ、次に日本。怒りというなら、日本はアメリカ以上に中国に怒らなければならない。

なぜなら、技術を与え、お金を与え、人材を与え、その返礼が「南京(ナンキン)大虐殺」なるフィクションを使った日本非難と、国内の反日教育ではなかったのか。

天安門事件で世界から孤立していた中国を救ったのは平成の天皇陛下のご訪中だ。日本のエンペラーが訪問するくらいだから、そろそろ制裁を解いてもいいのではないかという空気が国際社会に流れたのである。日本の天皇陛下には、それだけの権威があるのだ。知らないのは、むしろ一般の日本人だろう。

事実、元国務院副総理（外交担当）の銭其琛(せんきしん)は、自身の回顧録のなかで、「（天皇訪中は天安門事件を受けた西側諸国の制裁を）打ち破る最良の突破口になった」と記している。ここまでコケにされて激しい怒りを覚えない者は日本人ではない。

私は天安門事件のとき、幸いにも日本にいて難こそ逃れているが、同世代の多くの若者が虐殺されているのを知っている。それだけに、中国に対してと同様、日本にも怒りを覚える。むろん、天皇陛下にではない、その陛下の権威を売り渡す媚中派の自民党議員に対してだ。

こうして欧米諸国の経済制裁は解除され、中国は息を吹き返したわけである。つまり、日本が中国を救ったのだ。

では、中国は日本に感謝したか。いや、逆だ。天皇ご訪中以後、むしろ国内の反日教育は徹底され、国外向けには反日プロパガンダが強化されたのだ。南京大虐殺記念館は大幅拡張され、アイリス・チャンによる『ザ・レイプ・オブ・南京』なる英語の偽書まで出版する厚顔ぶりである。

中国は学習したのだ。第2の天安門デモが起こらないためにも、徹底的に反日を刷り込むことによって国民の政府に対する不満を日本に向けさせるのが賢明なやり方だと。日本には自虐史観に染まった反日日本人ともいえる論者がいっぱいいる。彼らは頼まなくても勝手にわれわれの意を酌んでプロパガンダの流布に協力してくれるはずだと。

つくづく舐められたものである。中国様にひと睨みされ、総理大臣以下閣僚が祖国のために命を捧げた英霊が祀られている神社に参拝にも行けないというのは、あまりにも滑稽ではないのか。

習近平が「掟破り」の会見にこだわった理由

これは余談だが——日本の天皇の権威を熟知し、これを利用したのは習近平も同じである。2009年、当時の習近平副主席がいわゆる「1カ月ルール」(外国要人が天皇と会見する場合、1カ月前までに文書で申請するという宮内庁の内規)を破るかたちで、当時の天皇陛下(現在の上皇陛下)に会見を打診してきた。

当時は民主党政権。総理大臣の鳩山由紀夫、それに陰の総理といわれた媚中派の筆頭である小沢一郎のゴリ押しで会見が実現してしまったが、これこそ天皇の政治利用であり、不敬の極みだろう。小沢には7度生まれ変わって国民に詫びてもこの罪は拭えるものではないことを知っておいてもらいたい。

では、習近平が、なぜそこまで陛下との会見にこだわったかといえば、胡錦濤が、やはり副主席時代の１９９８年に陛下と会見をした前例に倣いたかったからにほかならない。つまり、自分が次期主席であることを国内外にアピールするためだ。しかし、これは見方を変えれば冊封である。日本の天皇に謁見して「主席」という爵位をもらって帰るのだから、金印こそないものの、事実上の冊封関係ではないか。

むしろ日本の識者もマスコミも、なぜそこを指摘してやらなかったのだと、いまも思う。日本の天皇にお伺いを立てなければ中国の国家主席にはなれないのだと。コケにされているだけでは、中国の傲慢な態度は変わりようもない。

「天皇陛下によろしくお伝えください」

毛沢東や周恩来は、まだ国交がない１９５０年代から訪中した日本の要人に対し、必ずこう語りかけたという。社会主義国の親分の口から「天皇陛下」の言葉を聞いて、保守を自認する政治家ほどコロリとやられ、毛沢東ファンになって帰ってくる。

右翼青年に刺殺された浅沼稲次郎は社会党右派に属し、同党でもめずらしい天皇崇拝者として知られていた。会話中、天皇に「陛下」をつけなかったという理由で叱責された新聞記者もいたほどだ。

彼は1959年の訪中時に北京で「アメリカ帝国主義は日中共通の敵」という演説をぶち上げ、党幹部と大学生たちから万雷の拍手を浴びた。このとき、彼は「台湾は中国のもの」とも発言している。

おそらく浅沼も、毛沢東の「天皇陛下によろしく」に骨抜きにされた政治家のひとりであろう。帰国時に羽田(はねだ)空港のタラップを降りた浅沼は、得意げに人民帽をかぶっていたという。

売られたケンカをそのまま買う習近平外交

もはや、アメリカの対中路線に共和党も民主党もない。

中国はトランプの再選さえ阻止すればアメリカも対中強硬路線を引っ込めるだろうと高をくくっていた。

本書でも何度も述べたとおり、バイデン政権になってから、むしろトランプ政権以上に中国封じ込め戦略を徹底させている。これは習近平の大きな読み間違いだったことだろう。

トランプはまだ多少は商売人的な感覚があるから、中国にはディールで対応しようとする。その取引が割に合わないと思ったら、さらに締め上げるか、あるいは取引自体を引っ込める、そういうやり方。

トランプ政権ではアメリカvs.中国という2国間対決の構図だったが、バイデン政権は同盟国をすべて巻き込んで対抗するという予想外の戦法に出た。

逆にいえば、世界が対中国で団結を固め、さらに強化したひとつの要因は習近平自身にあるといえる。習近平の傲慢な外交姿勢が各国の怒りを買い、目を覚まさせ、中国の歴代指導者が50年かけて築き上げてきた偽りの信用まで一気に粉砕してしまったのだ。世界を団結させた最大の功労者は習近平ではないかと私は思っている。

では、習近平がどんな愚かな外交をやってきたか。簡単に振り返ってみたい。

中国はアメリカと対抗しながら、みずからいろいろな国を敵に回してきたのだ。

たとえば、アメリカのような強大な国と対峙する場合、ほかの国と緊密になるなど戦略的な根回しは必要だし、そういった戦法を、じつは中国は得意としてきた。しかし、習近平にはそういった外交センスはない。売られたケンカはそのまま買ってしまう子どもっぽい部分がある。

ファーウェイ孟晩舟の逮捕と中国の報復

たとえば、2018年12月、カナダの企業家マイケル・スパバと元外交官のマイケル・コブリグをスパイ容疑で拘束してしまったことに、それは顕著に表れている。

同年同月、カナダ政府はアメリカの要請を受け、ファーウェイの副会長でCFO（最高財務責任者）である孟晩舟（もうばんしゅう）女史を「複数の国際機関を欺くための陰謀容疑」（対イラン経済制裁に違反し、金融機関を不正操作した容疑）でバンクーバーで逮捕しているが、それに対するあからさまな報復といってよかった。

孟晩舟は香港の会社を迂回（うかい）して金融制裁中のイランに不正にお金を送っていたのである。さらに、その後の調べで、彼女は中国発行の旅券を4通、香港発行の旅券を3通、そのほかに中国政府の公務普通旅券1通、都合8通の旅券を使い分けていたことがわかっている。これだけで彼女がたんなる実業家ではないのは明白だろう。

スパバとコブリグは2021年8月11日に懲役11年の実刑判決を受けた。国家機密にかかわるという理由で、裁判はすべて非公開だったという。要するに、カナダ側の態度いかんによって罪は重くも軽くもできるぞという脅しであった。孟晩舟は9月24日にカナダ、アメリカとの司法取引が成立して中国に帰国している。

中国は、それだけでなく、孟晩舟の逮捕の報復として、ほかに11人のカナダ人を逮捕（8人は釈放）している。うちロバート・シェレンバーグという青年は麻薬密売容疑で捕まり、地裁（遼寧省大連市の中級人民法院）で懲役15年の判決を受けたが、刑が軽すぎるとして高裁が差し戻しを命じ、死刑が確定した。シェレンバーグは一貫して無実を主張している。

これに関してカナダのジャスティン・トルドー首相は、「中国が恣意的に死刑の適用を選んだことは、カナダや国際社会全体にとって重大な懸念である」と怒りを隠さない。何よりカナダ国内の世論の対中感情は悪化の一途をたどるばかりだ。

中国に駐在する各国のビジネスマンにとっても、この一連の逮捕劇は他人事ではないだろう。本国と中国の関係がギクシャクすれば、いつなんどき罪状をでっちあげられ、拘束されるかもしれないからだ。

いっとき、大陸に進出した台湾の企業の多くがこれをやられた。経営者や責任者が捕まり、あるいは社員を人質に取られるかたちで、「ひとつの中国の原則を破らない」と宣誓させられるのだ。ある意味、中国お得意のやり方ともいえる。

しかし、こんなことばかりやっていると、どの国の企業も、怖くて中国に進出して工場を建てたり、投資したりしようとしなくなる。いや、現実にそうなっている。長い目でいえば、損をしているのは中国のほうなのだが。

日本は習近平に感謝すべきだ⁉

とにかく、カナダとの関係は、これ以上ないほど悪くなっているし、それにとどまらず、本来は良好といわれていたオーストラリアとの関係も、ここにきて急速に冷え込んでいるようだ。

2020年4月、オーストラリア政府が新型コロナウイルスの発生源の調査を主張すると中国は憤慨し、オーストラリア産の大麦に制裁関税をかけたり、国民にオーストラリアへの旅行の自粛を呼びかけたりするなどのいやがらせを行った。

さらに、オーストラリア産ワインに追加関税を実施するなどいやがらせに拍車をかけたが、これを受けてオーストラリアは反ダンピング（不当廉売）制裁関税だとして中国をWTOに提訴しており、両者の蜜月も完全に終わりを告げた。

イギリスとは、先にもいった香港の一国二制度を破壊したことで修復が不可能なまでに関係が悪化している。ボリス・ジョンソン首相は１９９７年の香港返還以前に生まれた香港市民３００万人を対象にイギリスの市民権や永住権の申請を可能にすると発表。完全に中国のやり方にＮＯを突きつけた格好だ。そういえば、ジョンソンもトランプも武漢ウイルスの被害者だった。

インドは、ご承知のとおり２０２０年夏から中国とのあいだに国境を挟んで軍事紛争まで起きており、双方に戦死者まで出している。習近平は一歩も譲らない姿勢だが、肝心の人民解放軍の士気はそんなに高くないといわれている。

日本は日本で、尖閣周辺で中国にはさんざん好きにやられている。これまで、どちらかといえば中国におよび腰だった日本のテレビメディアも連日この問題を取り上げ、コメンテーターも中国に堂々と批判的なコメントを挙げていた。

私にすればまだまだ甘いが、少しずつだが、日本もまともになりつつあるのを実感する。これも習近平効果といえるだろう。皮肉ではなく、習近平には感謝したい。

「合従連衡」「四面楚歌」の故事を知らない習近平

とにかく習近平という男は、自信過剰で傲慢なわりには、何度もいうが、戦略的外交という点ではまったくといっていいほど素人だ。

中国には「合従連衡」という言葉がある。それは二千数百年前の戦国時代の故事から生まれた。

当時、中国大陸では「戦国七雄」という七つの国が並立して覇権を争っているが、「合従」とは強国である秦に対抗するために、ほかの6カ国が団結すること。「連衡」とは、ほかの6カ国が団結して向かってこないように、秦がそれぞれの国と同盟を結ぶこと。こういうしたたかなやり方は歴代の中国の指導者の得意とするところだった。

習近平が尊敬してやまない毛沢東も、これを見事にやってみせた。たとえば、ソ連との関係がまずくなればアメリカと接近し、日本と国交を結んだ。アメリカは何よりソ連の封じ込めを必要としていたし、日本の当時の田中角栄総理は日中国交正常化というレガシーを欲しがっていた。それをしっかり読んでいたのだ。人間の弱みや欲望を読むことに長けている。それが中国の指導者の必須条件である。

あるいは、AとBを戦わせて共倒れにして漁夫の利を得るやり方も広い意味での合従連衡だ。毛沢東は日本軍と蒋介石軍との小競り合いを戦争にまで発展させ、これを成功させている。

1961年に訪中した当時の日本社会党の黒田寿男議員に向かって、毛沢東は、「日本の侵攻があったからこそ、いまの私があるのです。感謝します」と語ったというが、これは多少のハッタリがあるにせよ、かなりの部分で本音の発言といえた。

逆にいえば、日本軍に自国民（蒋介石軍）を殺させて取った天下だ。彼らに日本軍は残酷だったという資格はない。しかし、困ったことに、日本のインテリのなかには毛沢東のこのセリフに「かつての敵をほめる大人の余裕」と感激した者がけっこういたらしい。

とにかく大人ぶって相手をたらし込もうとするのは、権力者にかぎらず中国人の特性であるけれども、習近平はそのへんのハッタリの才能はないようだ。何度もいうが、毛沢東や鄧小平のようなカリスマ性や人間力に欠けるのだ。

それから中国の外交戦術で思い出すのは、『史記』で有名な四面楚歌の故事。これはまさに世界最古の情報戦である。籠城する楚の項羽に対し、劉邦は四面を囲んだ自軍の兵に楚の歌を歌わせ、楚の兵はみな敵（漢）に寝返ったと勘違いさせ、項羽の自滅を誘ったという。この情報戦こそ、戦わずして勝つ最良の法として中国の為政者は心得ているわけである。

日本にしかけられた中国の「世論工作」

日本のマスコミや世論は中国の工作を受けており、ニセ情報や毒情報が蔓延（まんえん）している。一時期さかんに喧伝（けんでん）された「オスプレイは欠陥機」という報道もそうだ。

事実からいえば、総合的に見てオスプレイは一般のヘリコプターより安全性がずっと高い機体なのである。たとえば、左右のエンジンのどちらかが停止しても、片方のエンジンだけで両翼のプロペラを動かすことができる設計になっている。もし両方のエンジンが停止しても、風の力でプロペラの回転を維持して着陸できるのだという。

では、なぜ、あそこまで危険、危険と中国の報道が煽（あお）ったのか。中国がオスプレイの配備をいやがったからにほかならない。

ヘリコプターと飛行機の機能を兼ね備え、一度に大量の物資や人員を運べ、機動力が高く、重武装も可能なうえ、給油なしで沖縄本島から台湾北部まで往復できるオスプレイは、まさに尖閣防衛の要、台湾有事の強力な助っ人、日米同盟にとっては必要不可欠の機体だが、逆にいえば、中国にとってはうるさい存在でしかないのだ。

ネット時代になり、既存メディアだけではなく、SNS（ソーシャル・ネットワーキング・サービス）などを通してウソ情報が垂れ流される傾向がある。また、近年はFacebookやYouTubeなどの不可解な検閲も気になるところだ。だが、多種多様な人が参加できるネットの世界には、独自の自浄作用もあって、しっかりしたデータに基づいてウソ情報やプロパガンダを無力化する書き込みも多いのが救いだ。昔ほど騙されなくなったということである。

「横のアジア」より重視すべき「縦のアジア」

やはり習近平の最高の功績といえば、クアッドの枠組みに正当性を与えたことである。日米、そして豪、印。習近平にとっても、この4カ国が防衛のラインを築くことは大きな意味がある。

日本は横より縦のつながりを強固にすべきだと私はいってきた。

世界地図を広げて見る日本と横（東西）のつながりとは中国と朝鮮半島である。朝鮮半島といっても北朝鮮とは国交がないから、実質上は韓国を指す。日本はこの2国との外交を偏重するあまり、お金を無心され、技術を盗まれ、ことあるごとに内政干渉をされてきた。日本がいくら尽くしたとしても、彼らが反日をやめることは未来永劫ないだろう。こんな割の悪い話はあるまい。

戦時中に日本はわれわれに対してひどいことをやってきたのだから、その報いだ。援助し、お金を与え、なおかつ謝罪を続けるのは当然だと彼らはいう。

しかし、地図上の縦（南北）の地理関係で国を見ると、事情はまったく逆である。日本は戦時中、東南アジアの国々の多くを占領しているが、彼らはおおむね親日だし、日本が西欧列強の植民地からの解放を手助けしてくれたと教科書に記している国もある。戦後のＯＤＡ（政府開発援助）にも感謝してくれている。

日本という国は、歴史的に見ても、気質的な面からも、大陸国家より南の海洋国家とのほうが相性がいいのである。日本から台湾、フィリピン、マレー半島、それにオーストラリアを結ぶ縦のラインは重要だ。防衛だけではない。天然資源が豊富なこれらの国とは仲よくすべきなのだ。

さらに、これにインドを加えて中国包囲網をつくる。麻生副総理が総理大臣のとき、「自由と繁栄の弧」という絶妙な言葉でこれを呼んだが、当時のテレビメディアはその重要性を理解できなかったか、あるいは理解したうえであえてなのか、無視する傾向があった。これこそ、彼らが日ごろいう「アジア重視の外交」であるはずなのに。

このままでは日本も制裁の対象になる

むやみに噛(か)みつき、むやみに敵をつくっていく。習近平の戦略なき外交は中国の孤立化と世界の中国に対する敵視の意識をますます高めるばかりだ。

習近平がドイツのアンゲラ・メルケル首相を交渉口として得意満々に進めてきたEUとの投資協定も、ここにきて宙に浮いている。

2021年5月20日、欧州議会は大筋合意したCAI（包括的投資協定）について批准に向けた審議を停止する決議を賛成多数で可決してしまったのだ。理由は当然のことながらウイグル問題である。これに先立ってEUが行った対中制裁に対して中国が行った報復措置への返礼だ。

ことの次第はこうだ。2020年7月9日、アメリカがまず中国中央政治局の委員で新疆ウイグル自治区共産党委員会書記の陳全国（ちんぜんこく）ら4人を対象にアメリカとの取引停止などの処分を下した。陳全国は悪名高いウイグル人洗脳再教育機関「職業技能教育訓練センター」の立案者とされている人物。いわば強制収容所の最高責任者ということになる。

これに少し遅れるかたちで、2021年3月22日、EUが中国の新疆の地方幹部4人に制裁を科した。EUへの渡航禁止や資産凍結を科す厳しいものだ。すぐさま反応した中国が報復として即日、EUの10個人と4組織に制裁を加える倍返し戦法に出た。

これで完全にEUがキレた。投資協定は事実上白紙になったのである。ちなみに、この制裁対象者はロシア、北朝鮮、リビア、南スーダンの高官も含まれるが、いまいったような幼児的な報復に出たのは中国のみである。

もはやウイグルの人権問題は国際社会の最重要なイシューなのだ。日本もこの流れにもっと敏感になるべきなのである。せっかく当時の安倍総理が世界の首脳に先駆けて直接、習近平に向かってウイグルの人権問題に言及した実績があるのに、G7のなかで日本だけがいまだ対中制裁決議に足踏みしているのは、国際社会に誤ったシグナルを送ることになりかねない。

党内の媚中派幹部や公明党が足かせであるのはわかるし、中国とかかわりが深い企業からの懇願もあろう。しかし、もはや日本一国の事情を云々（うんぬん）しても理解は得られない。国際情勢は大きく動き出しているのである。

このままいけば、日本もまた制裁の対象になりかねない。現にユニクロや無印良品（むじるしりょうひん）などのいくつかの衣料メーカーは新疆ウイグル自治区の強制労働でつくられた新疆綿を製品に使用しているとしてフランスの人権団体に告発され、アメリカからは輸入差し止め措置にあっている。これも欧米の制裁の一環と見ていいだろう。

綿花といえば、昔はアメリカ南部の黒人奴隷のイメージがあったが、まったく同じことが21世紀の今日、ウイグルで行われていたのである。

日本を含め各国の企業は安い人件費を求めて中国に進出したが、カントリーリスクというものをこれでもかと思い知らされ、脱中国化を急いでいる。そもそも中国は人件費が安いのではなく、人命が安いのだと知るべきだ。優秀な日本の企業が世界中から敵視され、制裁を受ける中国の道連れになることはあるまい。

習近平を手玉に取るプーチンのしたたかさ

文字どおり四面楚歌の状況にある中国が唯一頼りにするとすれば、それはロシアということになる。

要するに、ウラジーミル・プーチン大統領との関係を深めて、この孤立状態から脱出する、この一点を模索しているのだ。それで中国はロシアに一方的にラブコールを送り続けている。

たとえば、2021年2月、中国の王毅国務委員兼外交部長はロシアのセルゲイ・ラブロフ外務大臣との電話会談で、こんなことを言っている。中ロの戦略的連携は、全方位的、全天候的、無禁区であると。

要するに、中国とロシアの連携は全方位的——どんな側面でも、政治、経済、軍事、なんでも連携できる。全天候的とは、天候がどう変わろうとも、晴れても雨が降っても吹雪になろうとも変わらないという、ある意味、じつに中国的というか、漢語的な表現だ。

無禁区というのは立ち入り禁止の区域はないという意味で、要するに、軍事同盟を結ぶことも可能であるというのである。われわれは比類なき鋼鉄の軍事同盟を築いていけるはずだと、言葉をいろいろ換え、臆面もなくロシアにアプローチしているわけだ。

しかし、4月2日、ラブロフは国営テレビのインタビューに応じ、中国との連携は重要だとしながら、軍事同盟を結ぶ可能性はないと、かなり確定的な言葉でこれを否定している。要は米中の対立に巻き込まれるのはごめんだということだろう。

さらに、同月25日にラブロフはロシアと中国は現在の連携のかたちで満足していると明言している。つまり、現状以上の連携はありえないと遠回しに言っているのだ。俗なたとえでいえば、中国が恋人になろうよといっているのに、ロシアは「これからもいいお友だちでいましょうね」と返したわけで、つまり適当にいなされている格好だ。このラブゲームの主導権を握っているのは、どう見てもプーチンだろう。

6月16日、そのプーチンはバイデンと初の会談を行った。習近平からすれば、自分より先にバイデンがプーチンとの対面での会談を実現させたこともまた癪の種といったところだろう。

喫緊の課題はロシア発と思われるサイバー攻撃や核軍縮への話し合いの枠組みづくりだが、当然、中国についても話し合われただろう。

バイデンにすれば中国の牽制のためにトランプ政権以来、険悪になっているロシアとの関係を修復しておきたいところである。

プーチンはある程度はバイデンの対中封じ込めに同調は示したものの、明言は避けたところを見ると、中国を対米外交のカードとして使っていこうという腹のようだ。

今後、米中でロシアの引っ張り合いになるだろう。アメリカも以前のようにウクライナ問題で強い態度に出られないかもしれない。

プーチンもなかなかしたたかといえるが、外交とは本来、そういうものなのだ。

習近平は「毛沢東」にはなれない

ロシアに二股をかけられ、アメリカ、EU、NATO、クアッドに包囲され、人権問題では世界的な批判を浴び、コロナ禍では怒りを買い、安全保障の面では日米はもとより英仏独の海軍の集結をアジアの海に許した。頼みの一帯一路もここにきて足踏み状態である。

外交ではまったくといっていいほど成果を上げられない習近平だが、一方、憲法を改正してまでも絶対権力の掌握に努め、それは半ば成功したかのように見える。

事実、彼は権力闘争には長けていた。政権につくや、習近平は反腐敗を宣言し、党中枢から貪官汚吏を追放する名目で、政敵になりそうな者をことごとく投獄してしまった。そのときのスローガンは「トラもハエも叩け」である。

トラとはすなわち高級幹部、ハエは下級幹部だ。習近平によって失脚あるいは投獄された者たちは、周永康（前中国共産党中央政治局常務委員）、徐才厚（前党中央軍事委員会副主席）、令計画（前党中央統一戦線部部長）、郭伯雄（前党中央軍事委員会副主席）、周本順（党河北省委書記）といった大トラクラスから、とうてい彼の寝首をかく実力も野心もない小バエの類いまで、その数合わせて１００万人におよぶという。

そこまで徹底しないと安心できないということだろうか。習近平の猜疑心と執着心のすさまじさを感じると同時に、骨の髄、細胞の一つひとつにまで染み込んだ共産党幹部の汚職体質を見る思いだ。

とにもかくにも、この腐敗撲滅キャンペーンから習近平の独裁者ロードは始まったのである。

だが、これは先にも触れたが、習近平という男は、独裁者には必要不可欠なカリスマ性という点では、彼が敬愛する毛沢東の足元にもおよばないのである。

田中角栄すら籠絡された毛沢東の人心掌握術

毛沢東は天才的な人たらしでもあったという話は「天皇陛下によろしく」のエピソードでも紹介したが、彼のこういったテクニックは、田中訪中の日中交渉でも遺憾なく発揮された。

毛沢東は先立って田中と会うナンバー2の周恩来に戦争責任の謝罪と台湾の扱いについてさんざん文句を言わせた。そして、その夜は訪中団を自宅に招待し、田中と周恩来に向かって、「ケンカはもう済みましたか」と笑顔で切り出したという。大人(たいじん)ぶるとは、こういうことなのだ。

ことの発端は田中が日中戦争について、「過去、多大なご迷惑をかけた」と語ったことに、周恩来が「〝ご迷惑をかけた〟とは、道で間違えて女性のスカートに水をかけてしまったときの言葉にすぎません」と噛みついたことにある。つまり、謝り方に誠意が足りないというわけである。

田中は「日本語で〝迷惑をかけた〟は万感の意を込めて詫びる言葉です。中国語では不適当だったかはわかりませんが……」と釈明に追われた。これで交渉のペースは周恩来が握ることになる。

しかし、これはどう見ても周恩来の言いがかりにすぎない。国交を結ぼうと、はるばる来た外国の首脳に「謝り方が悪い」と突っかかってみせる態度は、言いがかりといって差し支えあるまい。戦争で迷惑をかけるのはお互いさまだ。そもそも日本は中華人民共和国とは戦争をしていないのである。

戦争の結果、多くの中国人の人命が奪われたことを詫びろというなら、中国共産党は日本軍の何百倍も中国人を殺しているではないか。彼らは、いまだかつて人民に「迷惑をかけた」のひとことでも発しただろうか。

むろん、何かあれば日本側の言葉尻を捉えて強気に出るのは折り込み済みの戦法だったはずだ。どんなことがあっても国交樹立という成果なしには帰れない田中は、周恩来の思わぬ怒りには気勢を削がれたかたちだ。だからこそ、毛沢東の「ケンカは済みましたか」という余裕の態度には救われた思いだろう。

よく日本の古い刑事ドラマの取り調べのシーンで、まず若い刑事が机を叩いて恫喝的に自白を迫り、中年のベテラン刑事がそれを抑えるかたちで、打って変わったものわかりのよい口調で容疑者に語りかけ、一気に「落とす」パターンがあるが、あのコンビネーションプレーに近い。

人間は、締めつけられたものを急にゆるめられると、その解放感から相手に心を許してしまうのである。こうなると、毛沢東の掌で踊らされるだけだ。

「〝迷惑をかけた〟という言葉の使い方は日本語のほうが優雅ですね」

と毛沢東は、さらなる殺し文句も忘れなかった。

毛沢東が完成させていた「日本人洗脳法」

日本のマスコミも、毛沢東のこの「大人」ぶった振る舞いを称賛したそうだ。日本の政治家の中国の指導者に対する一歩引いた卑屈な態度やお詫び癖は、こうしてできあがっていったものなのだろう。日本人の相手の態度を善意で捉える素直なメンタリティがよくわかる。

先の刑事ドラマの例を振り返ってみれば、重要なのは刑事も容疑者も日本人だから成立するシチュエーションだということだ。中国人が容疑者の場合、こんなことで口を割るわけがない。自分から罪を認めて刑務所に入るなんてバカなことだと心得ているのだ。中国人が自白するとすれば、それに見合って余りある利益を提示されたときだけだ。

当然ながら、毛沢東と周恩来のコンビが田中らに見せた硬軟合わせた対応は日本人のメンタリティを十分に計算してのものだろう。

恐ろしいのは、こういった日本人のメンタリティに関しては、共産党がまだ八路軍（はちろぐん）と呼ばれていた時代から研究がなされていたということだ。

敗戦時に大陸にいた多くの日本軍はソ連や中国に抑留された。ソ連も中国も日本軍捕虜に再教育、要するに洗脳を施したけれども、ソ連の捕虜施設にいた日本人は帰国後に洗脳が解けるのが早かったが、中国の抑留者のなかには、中帰連（中国帰還者連絡会）のメンバーに代表されるように、最後まで洗脳が解けないまま亡くなる人も少なくなかった。

ご承知のとおり、ソ連では捕虜たちはシベリアに送られ、厳寒の地で奴隷労働に従事させられている。捕虜たちにすれば、ソ連兵はみな鬼のようなものだ。そんな鬼たちに、いくら社会主義の素晴らしさを説かれても、耳に入るものではない。

ところが、中国は、共産党は、やり方が違った。まず捕虜に毛布と温かい食事を与え、その横で中国兵に粗末な食事をさせるのである。この様子を見て日本軍の捕虜は「共産党軍は昨日の敵であるわれわれに、ここまで人間味のある接し方をしてくれるのだ」と、いとも簡単に感激してしまうのだという。もはや、この時点で洗脳は始まっているのである。情にもろく、受けた恩は忘れず、他者からの「善意」は額面どおり素直に受け止める日本人の性格を熟知した巧妙かつ高等な洗脳術だといえるのではないか。

こういった日本人の民情や思考を毛沢東にレクチャーしたのは日本共産党の野坂参三だといわれている。野坂は１９４０年に延安で八路軍と合流しており、この時代の毛沢東を知る数少ない日本人であった。

毛沢東の仇敵でもあった蔣介石も、日本留学の経験があっただけに、日本人の心情にある程度通じていたようだ。だから、「以徳報怨」（徳を以て怨みに報いる）などと恩着せがましいことを言って多くの日本人を感激させたりもした。

たしかに、蔣介石は日本人捕虜や残留日本人の早期帰国に力を入れたが、それは来るべき国共内戦に向けて旧軍の兵器が必要だったためだし、日本人が大陸に残してきた財産もちゃっかり懐に入れていた。

古い世代の台湾びいきの日本人には蔣介石の「以徳報怨」の言葉を信じて彼を聖人のように崇める人も少なくなかったが、蔣介石が台湾でやったことは毛沢東と変わらない虐殺と恐怖政治である。

1947年の二・二八事件とそれに続く白色テロで台湾の次代を担う青年たちはことごとく投獄、殺害されてしまっている。彼らは日本の高等教育を受けた若きインテリたちだった。「台湾の悲劇は統治する者が統治される者より民度が低かったことにある」と司馬遼太郎は書いているが、まさに、である。

さらにいえば、国民の不満をそらすために国策的な反日教育を行ったのは蔣介石も同じだ。むしろ反日教育は中国より台湾の国民党政府のほうが早かったといっていい。蔣介石を聖人扱いするのがいかにバカバカしいかがわかろうというものだ。そもそも、聖人君子なら「以徳報怨」などと、わざわざ「怨」の字を使わないだろう。

習近平が「くまのプーさん」に激怒した理由

毛沢東をはじめ、中国の歴代権力者が持つべき人たらし術を、習近平は知らなかった。学ぶ術もなかったのだろう。それに、彼の雰囲気からしてなんとも陰気だ。

容姿が「くまのプーさん」に似ているといわれたら、それを武器にすべきであろう。親しみやすさや愛嬌も また指導者に求められるものなのだが、彼はそれを誹謗と捉えたようだ。プーさん映画の国内での公開を認めず、あろうことかSNSのNGワードにしてしまった。「くまのプーさん」（小熊維尼、維尼熊）と打ち込むと、検閲に引っかかって表示できなくなるのだという。

「プーさん」という隠語を使った政権批判を恐れたという見方もあるようだが、それにしても人間としての器の小ささを感じざるを得ない。言葉を換えれば、習近平という男に根を張った底知れぬ人間不信とコンプレックスということになろうか。2013年には習近平の名前の一字を誤った理由で新聞記者が退職処分を受けている。

習近平という男は孤独に見える。彼には、心を許し、頼りにできる側近がいるとは思えない。

ナンバー2である副主席の王岐山が側近中の側近といわれることもあるが、2021年6月に中国共産党の最高位の幹部が亡命したというアメリカのリーク情報があったとき、世界中のジャーナリストたちが真っ先に脳裏に浮かべたのが、その王岐山の名だ。つまり、彼もいつ習近平を見かぎり、アメリカに寝返ってもおかしくないと思われているのである。

事実、これまでも王岐山亡命の噂は何度か立っては消えている。もし本当に彼がアメリカの手に落ちたら、それこそ習近平帝国は丸裸同然といえよう。

父の失脚から生まれたコンプレックス

習近平の陰気さは、その生い立ちが深く関係しているという指摘もある。

彼は太子党（たいしとう）、つまり長征（ちょうせい）世代の党高級幹部の子弟というエリート階層出身といわれるが、父の習仲勲（ちゅうくん）は国務院副総理、党中央委員にまでのぼりつめながらも毛沢東の不興を買って失脚、毛沢東の死後に名誉回復されるまで16年間も拘束の身にあった。

習仲勲の息子である習近平と弟の習遠平（えんぺい）（合わせて〝遠近〟）、そして姉も下放（かほう）の憂き目にあっている。下放とは、党への忠誠が足りないと判断された都市部の青年を農家に送り込み、肉体労働を通して再教育するシステムのことで、文革当時はさかんに行われていた。事実上の懲罰である。

習近平の家族は岩山の洞窟を寝ぐらに灯油ランプで生活していたこともあったらしい。そのような雌伏の時代が7年も続いたのだ。

毛沢東への尊崇を隠さない習近平だが、自分と家族にそこまでの辛酸を味わわせた男に対して、なおも畏敬の念を抱く彼の心理は、どのようなものなのだろう。

権力を持つ者と持たざる者。世の中にはこの二つしかない。すべての生殺与奪を権力者が握っている――彼が毛沢東に学んだ教訓があるとすれば、これに尽きるだろう。豚になりたくなければ狼（おおかみ）になるしかない。毛沢東は習近平にとっての権力闘争の教科書なのである。むろん、権力を掌握するには毛沢東の威光も必要だったろう。

もうひとつ、雌伏時代に骨身に染みるように得た教訓といえば、「決して目立ってはいけない」ということである。

父の習仲勲は延安時代を毛沢東と苦楽をともにし、一時とはいえ最も信頼を得ていた同志のひとりである。学識も高く温和な性格で、政治家としての才もあったようだ。となれば当然、目立つわけである。嫉妬による讒言（ざんげん）もあっただろうし、老いたカリスマ毛沢東には時として目ざわりな存在に見えることもあったかもしれない。

もし父が凡庸な幹部であったなら失脚もなかっただろうという推論を導き出すのに、さしたる時間はかかるまい。

地方官吏時代の習近平は、「可もなく不可もない」といった存在で、大きな失敗もなければ、後世に伝わるような功績もない。たんに給与分の仕事をこなしていただけである。

これも権力へのゴールが目に入らないうちは、決して目立ってはならないという彼の処世術によるものだろう。

「学歴ロンダリング」と「トロフィーワイフ」

習近平の少年時代は、まさに文革の狂乱の真っただ中にあった。学校はすでに機能を失っており、まともな教育を受けられるはずもなく、習近平の実質上の学歴は小学校卒業程度だといわれている。

経歴上は名門である清華（せいか）大学の出身となっているが、これは無試験の推薦入学だった。父親の不遇（失脚）を知る党幹部のせめてものお情けというのがもっぱらの噂である。こういった怪しげな学歴も彼のコンプレックスにつながっているはずだ。

学歴コンプレックスを埋め合わせるためか、習近平は福建（ふっけん）省の副書記時代の１９９８年から４年間、母校の清華大学の人文社会学院で学んで法学博士を得ているが、このときの博士論文に関しては代筆疑惑が根強い。

それ以前に、彼が博士の前段階である修士課程に在籍したことがないこともわかっている。そもそも習近平の専攻は化学であって法学ではない。習近平が己の箔づけのために大学を巻き込んで学位を捏造したと見るのが妥当だ。

その後、廈門市の副市長を振り出しに、福建省長、浙江省党委書記、上海市党委書記を経て、中央政治局常務委員として中央に進出している。地方でそれほど順調に出世できたのは結局、中央指導部に返り咲きした父親の習仲勲の七光りがあってのことである。

毛沢東が元女優の藍蘋（のちの江青）と結婚したのを意識したわけではないだろうが、習近平は1987年、軍隊歌手の彭麗媛と2度目の結婚をして現在にいたっている。

少将の階級を持ち、美人のほまれ高く、全軍のアイドル的存在だった彭麗媛に比べ、地方首長としては「可もなく不可もない」程度の評価しかない習近平は明らかに「格下夫」だった。

少年時代、どこに行っても「習仲勲副総理の息子」と呼ばれることに辟易していた習近平にとって、「彭麗媛の亭主」というポジションも、決しておもしろいものではなかったはずである。

歌う彭麗媛の姿はYouTubeでも確認できる。長身の凛とした、今風の言葉でいうなら目力のある女性で、力強いオーラを放っていた。習近平はこの妻を通して軍にも太いパイプを築いていったという。ある意味で頭の上がらない存在だ。

毛沢東と習近平に共通する「インテリ憎悪」

習近平と毛沢東に共通点を見るとすれば、学歴コンプレックスから来る猜疑心ではないかと思う。

周恩来、鄧小平、陳毅といった毛沢東の同志たちは勤工倹学生としてフランス留学の経験者だった。勤工倹学生は文字どおり「労働に励み、倹約して勉強する」苦学生のことで、第一次世界大戦直後に労働力が不足したフランスに中国人の若者たちを送り出す運動がさかんに行われていた。

フランス側の受け入れ先はパリで豆腐店を営む李石曽という男で、彼は有名なアナーキストでもあった。周恩来や鄧小平ら留学生たちは、ここパリの地で国際インターナショナルの洗礼を受け、1922年に中国共産党旅欧支部を結成し、その後の中国の社会主義運動に大きく寄与することになるのだ。

翌1923年、つまり大正12年、上海経由で密かにフランス入りした日本人アナーキストがいた。大杉栄である。大杉は同年9月にドイツのベルリンで行われる国際無政府主義大会に招待されていた。ところが、パリのメーデー集会で演説中に逮捕されてしまう。中国人名義のニセ旅券がバレて強制送還の憂き目にあうのだ。彼が演説をせずにひっそりパリでの隠遁生活を続け、無事ドイツに入国していれば、9月の関東大震災時に官憲に捕らわれて殺害されることもなかったことになる。

当時のパリは社会主義者、アナーキスト、亡命者、革命を逃れたロシア人（その多くがユダヤ系）、それに中国人がひしめき合い、大戦の疲弊と超インフレがある種の精神的退廃の混沌のなかにあった。芸術運動でいえば、ダダ（破壊の芸術）からシュールレアリズム（創造の芸術）へのトレンドの移行期である。

じつは毛沢東も勤工倹学生としてパリ行きを望んでいたが、語学が合格点に届かず選に漏れていた。つまり、共産党ナンバー2の周恩来は留学を経験し、曲がりなりにも欧州というものを知っていたインテリだが、ナンバー1たる毛沢東は中国大陸しか知らない、ありていにいえば無学な山賊の親分にすぎなかったのだ。

学歴コンプレックスの犠牲になった劉少奇

毛沢東の経歴上の最終学歴は師範学校卒になっている。彼はいくつかの哲学的な（といわれている）論文を残しているが、それとて、本当に彼がすべてを書いたのかはわからない。毛沢東の「インテリ憎し」は文革に先立つ1957年の反右派闘争で明らかになっている。党の指導に不満を持つ知識人を右派と決めつけて徹底弾圧を行ったのだ。文革でも多くの大学教授や新聞記者の頭に三角帽がかぶらされた。毛沢東にしてみたら、やたら小難しいことばかりを考えたがるインテリは、それだけで資本主義に汚染された反革命分子なのである。

留学組では鄧小平が一時下放されていたのは先に書いたとおりだ。最も悲惨だったのは劉少奇で、大躍進の失敗で毛沢東が国家運営の第一線から退き、そのあとを継いで国家主席になったものの、復権を狙う毛沢東によって走資派（資本主義に走る者）先導者のレッテルを貼られ、紅衛兵によるリンチの末に軟禁された。軟禁中は持病の治療も許されず、最後は歯も髪も抜け、糞尿にまみれ、枯れ果てた姿で、ベッドで憤死している。

その劉少奇の夫人である王光美の有名な写真がある。紅衛兵に両脇を押さえられ、ピンポン玉でつくったネックレスを首にかけられ、さらし者にされている姿である。

これは彼女がファーストレディとして夫のビルマ（現ミャンマー）訪問に随行したときに晩餐会で着けていた真珠のネックレスが反革命的、ブルジョワ的という指摘を受けてのものだ。じつは真珠のネックレスはネ・ウィン首相からの贈呈品であるから、むしろ着けるのは礼儀であるはずなのだが。

その後、王光美と子らは夫とは別々に軟禁された。劉少奇の死を知らされ、遺灰を渡されたのは3年後のことだったという。

養女の命を江青に差し出した周恩来

毛沢東の盟友で右腕だった周恩来さえも、晩年は粛清の手が自分に伸びることに怯えていたという。事実、彼の養女である孫維世は文革時に捕らえられて殺されている。孫維世はモスクワ留学帰りの美貌の才女で元女優でもあった。毛沢東のモスクワ入りに通訳として同行し、かの地で毛沢東に無理やり関係を結ばされたという。そのことが毛沢東の妻である江青の知ることとなり、彼女の逆鱗に触れたのだ。

孫維世と江青とでは、教養も美貌も女優としてのキャリアも、そして、むろん若さという点でも比べようもなかった。要は江青の激しい嫉妬の餌食となったのである。

王光美のピンポン玉ネックレスも江青の指示だったことが知られている。王光美は大学で原子物理学を専攻し、英語が堪能で、中華民国の外交官だった父譲りの国際感覚を身につけた良妻賢母だった。江青の憎悪と嗜虐心をかき立てるに十分な女性だったのである。

孫維世逮捕にしても、その理由などどうでもよかった。むしろ彼女の逮捕状に養父である周恩来の同意の署名があったことのほうが背筋を寒からしめるのではないか。毛沢東と江青の猜疑心の深さを知っている周恩来は己の保身のために、かわいい養女の命を売ったのである。

獄死した孫維世の遺体は全裸の状態で、複数回の強姦の痕跡があったという。江青が囚人たちに命じてそうさせたのだ。

田中角栄が毛沢東、周恩来と会見するわずか4年前の話である。

なお、周恩来は毛沢東に先立つこと8カ月、1976年1月にこの世を去るが、遺言で遺体は当時の中国ではめずらしく火葬に付され、散骨されている。周恩来が自分の死後、墓を暴かれ、遺体を辱められるのを恐れたためだ。江青や四人組はそこまでするということなのだろう。あるいは、毛沢東の意を得て周恩来が失脚させた者も多く、彼に恨みを抱く者も少なくはなかった。

死んだ人はみんな仏様になると教えられて育つ日本人には信じられないことかもしれないが、憎い相手やその先祖の墓を掘り起こして死者を切り刻んで復仇とするのは、中国や朝鮮のような儒教社会の伝統なのだ。

いい例が西太后だ。彼女の陵墓は蔣介石の手の者に荒らされ、副葬品の冠についていた宝石は蔣介石夫人の宋美齢の靴の飾りにされたという。清王朝を永遠に踏みつけてやるという意味なのだろう。

毛沢東の死後、四人組は逮捕され、執行猶予つき死刑判決を受けた江青は仮釈放中に首吊り自殺を遂げたが、娘によって建てられた墓石には「江青」の名はなく、毛沢東夫人を示すいっさいの文字もなかった。やはり彼女も死後に安住の地が脅かされることを恐れたのだろう。

習近平が抱える内患外憂

以上の毛沢東と江青のエピソードは抜きがたいコンプレックスとルサンチマンを持った人間が絶対の権力を持つと、とめどもなく残忍なことができてしまうことの証左である。

習近平も、おそらくはこの例に漏れまい。すでに彼は「腐敗撲滅」を謳って100万人の政敵とその予備軍を根絶やしに等しく監獄にぶち込んでいる。

そのなかには胡錦濤の側近中の側近といわれた令計画もいた。自身の金庫番の異名を取る令計画の逮捕に、胡錦濤は激怒したと伝わっている。

胡錦濤は共青団（中国共産主義青年団）出身。共青団は少年期から党の指導のもとで英才エリートを育成する青年組織であり、門閥である太子党とは犬猿の仲であることはよく知られている。

胡錦濤と太子党の習近平は本来、あまり仲がよろしくない。とはいえ、習近平が党のトップに立つには胡錦濤の推挙も必要だったわけで、いわば胡錦濤は習近平に恩を売ったかたちになる。その恩をいとも簡単に踏みにじってくれたのだから、胡錦濤のはらわたが煮えくり返るのも当然だろう。

習近平もそれを察知してか、令計画逮捕の翌年の2015年4月に共産党中央弁公庁警衛局長の曹清を突如解任してしまう。曹清もまた胡錦濤の子飼いの人物である。

習近平は、胡錦濤の意を受けた曹清が警護の名を借りて密かに自分に銃口を向けるのではないかと疑心に駆られ、先手を打ったのではないかとも囁かれているのだ。

曹清が四人組逮捕で名を馳せた人物というのも何かの縁か。くしくも敬愛する毛沢東夫人の仇を討ったことになる。

しかし、このおかげで、習近平は胡錦濤一派の恨みを買うこととなった。外にはアメリカを中心にした対中包囲網、内には胡錦濤と共青団。習近平にとっては八方ふさがりもいいところだろう。

うるさいやつは、とりあえず引っ捕らえるのはいいとして、文革時代と違って、やたらめったら死刑にできないのも頭が痛いところだ。逮捕した幹部にしても、海外に隠し財産を持っていることだろうから、いつなんどき態勢を整えて報復に出てくるかもしれない。やはり「竹のカーテン」で封鎖されていた時代とは違うのだ。恐怖政治が続けば、噂だけでなく、王岐山クラスの亡命者も出てくるだろう。

ここにきて2021年6月、アメリカのメディアが報じた「最高位クラス」の亡命者が中国国家安全部の董経緯副部長でないかという、まことしやかな情報も流れている。国家安全部は情報機関であり、かなりのトップシークレットを握っている。

なんでも董経緯はアメリカ留学中の娘に会うという名目で香港経由でアメリカに入り、その足でＤＩＡ（アメリカ国防情報局）の幹部に接触したというのだ。董経緯は武漢ウイルス研究所から新型コロナウイルスが流出した「決定的な証拠」をアメリカに提供したとも伝えられており、もしこれが本当なら、世界に大激震は必至だろう。

ちょうど時を同じくしてバイデン政権が、ウイルスが武漢の研究所から流出した可能性について情報機関に追加調査を命じたことも気になるところだ。また、2021年8月にはアメリカの共和党が新型ウイルス流出に関する大量の証拠があるという報告書を発表している。

どうやらアメリカは、民主党も共和党も、これに関してはかなりの確証をつかんでいると見える。

習近平にとっては憂鬱もひとしおといったところだろう。

痛しかゆしの「毛沢東リバイバルブーム」

「黒い猫も白い猫も、ネズミを捕る猫がよい猫」という歴史に残る言葉を吐いて市場経済を導入した鄧小平は、徹底したリアリストであった。鄧小平から見て毛は果たして黒い猫なのか白い猫だったかはともかく、その鄧小平さえ、文革の責任を四人組に押しつけることはできても、毛沢東のすべてを否定することはできなかった。天安門広場の、あの大きな肖像画を取り外すことはできなかったのである。

もし毛沢東時代のすべてを否定するなら、新たな文革が必要となる。破壊のための破壊だ。さすがに、それはできようもなかった。半ば神格化された毛沢東のイメージを、いまさら地に落とすことなど不可能に近い。ならば、その威光を統治に利用しようと考えた鄧小平は、やはり稀代のリアリストである。

習近平も自身に欠けるカリスマ性を毛沢東の威光で補塡しようとしている点では似ているかもしれない。彼が「偉大なる中華民族」という言葉でナショナリズムを鼓舞するとき、そのシンボル的存在として毛沢東がいる。

２０２１年に開催された東京オリンピックの自転車競技で見事に金メダルを獲得して表彰台に上がった中国女子チームペアが胸に毛沢東バッジをつけていたことが、ちょっと話題になった。彼女たちは、むろん文革を知る世代ではないし、長征など教科書でしか読んだことはないはずだ。

最近、中国の一部の若者のあいだでは、こういった無邪気な毛沢東リバイバルブームが起きているという。人民服のコスプレなどもさかんらしい。「あの時代は貧しかったが、平等だった」。彼らの親世代から聞くそんなノスタルジーを、オタク趣味的に消化したものかもしれない。日本でもコンビニもスマホもない時代を描いた映画『三丁目の夕日』がヒットしたが、それに似ているというと語弊があるか。

当然ながら、この現象は習近平の毛沢東回帰路線と無縁ではない。２０１８年9月、中国の中学2年生用の歴史教科書が改訂された。文革については「10年におよぶ錯誤」から「10年におよぶ苦難」に書き換えられたという。歴史的な誤りから、近代中国建設のための産みの苦しみにその評価を変えたのだ。これは同時に、鄧小平史観のあからさまな否定である。

しかし、ここにきて習近平はＳＮＳなどでの過度な毛沢東礼賛、マルクス主義礼賛を警戒する動きも見せているという。

「あの時代は貧しかったが、平等だった」という無邪気な憧憬は現在の中国で拡大しつつある格差の問題を想起させる危険性をはらんでいる。つまり、政権批判につながりかねないということだ。あるいは「くまのプーさん」と同じく隠語化される恐れもある。人一倍猜疑心が強い習近平にとっては痛しかゆしといったところだろう。

中国共産党とは巨大な矛盾の集合体だ。市場経済を導入した社会主義国というものが、そもそもの矛盾である。貧富の差が世界一大きい社会主義国というのは、矛盾を通り越してブラックジョークではないか。爆発する人口を抑えるための一人っ子政策の結果、日本より深刻な高齢化社会が待っているというのもジレンマを含んだ問題だ。

共産党がやっていることも矛盾だらけだ。人物の評価も、そのときの「政治」の都合でころころ変わる。孔子の評価も、文革時代の「人を惑わす愚か者」から、いつの間にか「東洋の英知」に評価を変えた。

当然、毛沢東の評価も鄧小平時代から現在の習政権では大きく変わり、あるいは今後の風向き次第では、その評価に修正を加えざるをえなくなるだろう。そのとき、一般大衆は政権をどのように見るだろうか。

学校の必修カリキュラムとなった「習近平思想」

これを書いている途中で、とんでもないニュースが入ってきた。

上海市の教育委員会は、これまで小学校で行ってきた英語の試験を2021年9月から取りやめ、代わりに小中高の必修科目として「習近平思想」（『習近平の新時代の中国の特色ある社会主義思想学生読本』）の授業を導入すると発表したのだ。いよいよ初等教育の場で独裁者の個人崇拝を目的とした洗脳教育が始まるのである。この動きは中国全土の小中学校に普及すると思われる。

「習近平思想」という言葉が初めて登場したのは2017年10月の共産党大会のことである。このとき、「習近平思想」なるものが正式に党や国家の指導理念として党規約に盛り込まれた。中国共産党の歴史のうえでも「○○思想」と個人の名前が冠せられた思想が党規約に刻まれたのは2例しかない。「毛沢東思想」、そして「習近平思想」だ。

中国共産党の創始者のひとりであり、現代中国の建国を宣言した毛沢東の名を冠した思想（と呼ぶほどのものでもないが）がバイブル化されるのは理解できなくもない。習近平の思想はそれに並んだということなのだ。習近平がいかに己を毛沢東になぞらえさせようとしているのかがわかる。

毛沢東の事実上の後継者である鄧小平でさえ自分のイデオロギーを「鄧小平思想」とは呼ばず、一枚格下の「鄧小平理論」に甘んじていた。自分を毛沢東と同列に置くのはおそれ多いというわけではなく、修正主義者のレッテルを貼られて失脚に追い込まれる危険性はまだあったし、その必要性も鄧小平にはなかった。花より実を取る彼らしい考え方だ。

しかし、習近平は実以上に花が大事なようだ。改革開放を掲げ、中国を世界第2位の経済大国に押し上げた鄧小平より習近平は格上に位置されることになったのだ。

習近平のこういった個人崇拝の押しつけは、彼自身のカリスマ性のなさを補塡する目的もあっただろう。一方、その陰で苦り切っているのは江沢民や胡錦濤、そしてその一派ではないか。江沢民も胡錦濤も独自のスローガンはあったが、自分の名を冠した「思想」はむろん、「理念」も党規約に残せなかったのだから。

小学校から習近平の個人崇拝を植えつけられた少年少女はどんな青年になるのだろうか。習近平ユーゲント、いや、21世紀の紅衛兵となって「習近平語録」を掲げながら破壊のかぎりを尽くす。そんな姿を想像するとゾッとしてしまう。

英語教育の弱体化が生む「竹のカーテン」

中国では2001年から小学校に英語の授業を義務づけてきた。日本人が欧米旅行中に中国人の子どもが現地人相手に臆せず流暢な英語を操るのを見て驚いたという話をよく耳にするが、こういう下地があったのである。

江沢民や胡錦濤の時代は人材を海外に送り出し、欧米の最新の学問や技術を吸収するために英語の英才教育を徹底させていた。そのおかげで、いま、全世界の大学、大手企業に中国人が一定の席を設けているわけだ。

欧米社会で東洋人のテクノクラートといえば日本人というイメージが強かったが、近年では中国人がその座を脅かす存在にまでになっている。

国際都市といわれる上海なら、なおさら英語教育の重要性が問われるはずである。しかし、習近平は、それをあっさり捨てようというのだ。

たしかに、個々の英語力の高さは国際人としてのコミュニケーション能力とイコールであり、それによって中国にもたらされる利益も大きかったのは、習近平も認めるところだろう。

半面、英語を通して自由主義社会の情報がダイレクトに入ってくるという（習近平にとっては）望ましくない結果ももたらす。香港におけるデモ活動に見られるような若者の社会運動が芽生えることへの警戒の意味もある。

香港は90年間のイギリス統治の時代を経て自由主義化、ありていにいえば西欧化してしまったのだ。少なくとも全体主義に対する潜在的恐怖と拒絶感はデフォルトとして備わっているのだ。

英語学習の制限は米中対立の長期化を睨み、習政権が鎖国化に向かう準備ではと報じる中華系反体制メディアもあった。

また、時を同じくして、北京市も認可を受けていない外国教材を義務教育で使うことを禁じる方針を打ち出している。

習近平は14億の人民を再び「竹のカーテン」に閉じ込める気なのだろうか。まさに時代錯誤的で妄想的な発想であるといわざるをえない。

「共産党王朝」終焉の予兆

習近平を悩ませる国内事情はまだある。

近年立て続けに起こる大規模な自然災害だ。晩春から初夏にかけて、中国は水害の季節といった感さえある。

2020年の例でいえば、5月に浙江省では記録的な梅雨に見舞われ、多くの家屋が被害にあった。6月から7月にかけては湖北省を豪雨が襲い、新型コロナウイルス発祥の地である武漢市では累計230・4ミリを記録している。同じく7月に福建省では道路が寸断され、多くの農作物が水没する被害が出た。

そのほか、雲南省、貴州省、四川省も洪水に襲われた。四川省では被災者の多くが少数民族だった。湖南省では雨でゆるんだ地面が土砂崩れを起こし、そこに列車が突っ込むという痛ましい事故もあった。

被災者数は中国当局の発表で延べ4552・3万人に達し、倒壊家屋数は3・5万戸。経済損失は日本円にして約1兆7408億円におよんだという。

そして、2021年7月には「1000年に一度」と呼ばれる大豪雨が中国中部の河南省を直撃。主要河川の堤防が決壊したほか、十数都市で道路が冠水し、多くの高速道路が閉鎖された。洛陽市にあるダムでは20メートルにわたる亀裂が生じている。

濁流は地下鉄をも飲み込み、車両内に取り残され、肩まで水に漬かりながら乗客が必死の思いでアップした動画を見た人も多いだろう。

この水害の影響は富める中国の象徴で貿易都市である上海市にまでおよんでいるという。経済損失は前年のそれの総額を超えると見込まれている。

また、中国は山火事も多い。2020年にも雲南省、四川省で大規模な山火事が連続して起きている。駆り出された消防隊員は2000人。しかし、それでもとうてい対応できるものではない。

初夏の中国といえば、雹による被害も毎年報告されている。雹といっても、中国のそれは鶏卵大から大人の拳程度の大きさに達するものがある。それが強風に煽られ、横殴りに降ってくるのだ。自動車のフロントガラスなどひとたまりもない。時には家の屋根を突き破り、頭に直撃を受けた家人が死亡したケースもある。

北京の春は黄砂の訪れとともに始まる。黄色い砂塵が視界をふさぎ、人々の目や喉をいたぶる。しかも、水爆実験がたびたび行われた砂漠地帯から降ってくる黄砂は、放射性物質のセシウムをたっぷり含んでいる。その一部は海を渡って日本にまで到達しているのだ。

習近平が、これら自然災害による人民の被害にまったく心を痛めていないというつもりはない。彼とて何か対策を打ちたいと思いつつ、効果的な方法が浮かばないのが正直なところだろう。しかし、習近平が覚える不安はそこにはない。

21世紀の「易姓革命」の足音が聞こえる

中国には易姓(えきせい)革命という言葉がある。天子（皇帝）は天命を受けて国を支配するが、天子に徳がなくなれば、天命も革(あらたま)り、王朝は滅び、次の王朝に移行するという考え方だ。皇帝に徳がなくなり、人民の信頼がなくなれば、天が疫病を流行(はや)らせたり、天変地異を起こしたりして、皇帝や王朝の交代を告げるのだという。

どうだろう。コロナ禍や大規模自然災害がピタリと符合するではないか。習近平国家主席、ひいては中国共産党という王朝の終焉を天が告げていると読むこともできるのである。

習近平がどれだけ迷信や故事を信じているかはわからないが、どだい縁起のいい話ではあるまい。SNSを通してそれらの噂が拡散すれば、人心の動揺にもつながりかねないのだ。しかし、天災ばかりは、彼の力ではどうにもなろうものではない。

中国共産党の宗教に対する弾圧はすさまじく、そして、そのやり方はおぞましい。まるでチベットやウイグルでは、いまなお文革が行われているかのようだ。徹底した破壊と見せしめ、辱めである。経典で尻を拭くよう命じたり、尼僧と同衾させたり、あるいはイスラムでは禁忌とされる豚肉を無理やり食べさせたり。しかし、彼らは信仰を捨てはしない。これが、ますます中国共産党をいらだたせるのだ。

習近平が、中国共産党が宗教を恐れるもうひとつの理由がある。黄巾、紅巾、太平天国、義和団と、王朝の末期には必ずといっていいほど宗教的エクスタシーで連携した狂信者の反乱があった。天変地異や疫病と同じく、宗教は中国共産党王朝にとって鬼門中の鬼門なのだ。気功集団にすぎない法輪功を徹底弾圧する理由もそこにあるのだろう。

第3章
迫り来る「台湾危機」の深層
――アメリカ・バイデン政権は「防衛義務」を果たすのか

南シナ海で演習を行うアメリカ第7艦隊。アメリカのバイデン大統領は「アメリカには日本、韓国同様、台湾に対しても防衛の義務がある」とテレビインタビューで発言して物議を醸したが、アメリカは1996年の台湾総統選挙に対して中国がミサイル恫喝をしたときも、「偶然通りかかった」こととして空母2隻を台湾海峡に派遣している。

中国がとらわれている「被害妄想」

前章までお読みになって、現在すでに世界が一丸となってならず者の中国を包囲する構図ができあがりつつあることはご理解いただけると思う。この戦いは自由世界が圧倒的に有利な立場にあるのはいうまでもない。

しかし、その一方、今後これがどう発展していくか気になるところだ。

習近平は、憲法改正までして終身国家主席の座につき、なおも飽き足らず、現在進行形で独裁化と自己の神格化を進めている。中国は、すでに習近平の命令ひとつで動くような体制になろうとしている。

現在の習近平は、中国の軍事力、政治力、あらゆるものを導入して自分の戦いの武器にすることができるところまで来ている。その力をもってすれば、世界を恫喝することもできると思い込んでいるのだ。

いまや誰も彼を止めることができない。極端な話をすれば、いざとなれば中国は核兵器を使うことも辞さない構えなのだ。

事実、麻生副総理が「台湾有事は日本の有事でもある」と発言したことを受け、中国国内では「日本が台湾有事に介入したら、中国は即座に日本に対して核攻撃を開始する」といった恫喝的な内容の動画が拡散された。

この動画は中国の民間軍事評論集団「六軍韜略（りくぐんとうりゃく）」が制作し、アップしたものといわれているが、むろん中国政府の意を得てのものである。

動画では麻生副総理や岸防衛大臣の映像、人民解放軍の陸海部隊のほか、日中戦争時の日本軍、果ては原爆ドームと焼け野原になった広島の市街が映し出されるという、日米に対してはじつに挑発的で、中国国内的には日本への憎悪を煽るに十分なものであった。

日ごろ、平和だ、核をなくせと叫んでいる市民団体や左系メディアが、これに対してはほぼ無反応だったのが不思議でならない。

この動画については名指しされた日本より同盟国アメリカの反応のほうが大きく、CNNからFOXまで各メディアが一斉に取り上げていた。

元CIA（アメリカ中央情報局）の対中対策の専門家で現在ジョージ・ワシントン大学教授のロバート・サターは、動画の意図を、日本に対する圧力であるとともに、アメリカとの直接衝突は避けたいというサインだと見ている。軍事大国アメリカとはことを構えたくないので、日本をダシにして吠えてみせているという分析だ。

それを煎じつめて解釈すれば、「いまのところは」台湾侵攻は考えていないということになる。あくまで「いまのところは」であるが。

外には対中包囲網、内には悪化する経済やそのほかの諸問題を抱え、なおかつ己の人望のなさを思い知るにつけ、この独裁者は、威勢のよさとは裏腹に孤立感を深めるばかりで、それを反映してか、中国国内にも閉塞感が高まっているようである。根っから猜疑心が強く、他罰的な性格の習近平のこと、こうしているあいだにも一種の被害妄想の虜になっているかもしれない。

国際社会からのあらゆる批判や非難に対して自己中心的に反発してみせるのは、その表れだ。自分は、党は、何も間違ってない、悪いところは何もない。悪いのは世界第2位の経済大国にのぼりつめた中国を疎ましく思うアメリカであり、そのアメリカに煽動された国際社会だ。世界が中国をいじめているのだと思い込もうとしていることだろう。

「われわれがアメリカに教えてやる責任がある」

王毅や報道官も同様のようだ。２０２１年６月のＧ７での対中包囲宣言にしても、中国の報道官は「アメリカは病気」とまで言ってこれをなじっている。ここでいう「病気」とは、中国語では狂気かそれ以上のひどいニュアンスで、人でなし、鬼畜といったところ。言葉が汚いというより、卑俗すぎて子どもっぽくさえ見える。

王毅にしても、２０２１年７月のアメリカのウェンディ・ルース・シャーマン国務副長官との天津(てんしん)での会談を前にして、「アメリカが他国と対等につきあうことを知らないなら、われわれが教えてやる責任がある」と、じつに高飛車な言葉を吐いている。いうまでもなく、米中対話を待ち望んでいたのは、アメリカの制裁にアップアップしている中国のほうなのに、だ。

このように、困れば困るほど、焦れば焦るほど、ふんぞり返ってみせるのが中国の高官の性癖ともいえる。アメリカが用意したカウンターパートナーが格下の副長官だったことへの私怨もあったかもしれないが。彼の本来の器が知れよう。

そういえば、王毅は駐日大使時代も、かなり上から目線で日本政府に対してものをいっていたし、政府の人間もマスコミも、そのたびにおたおたしていたようだが、しょせんはこのレベルの男と思えば、たじろぐこともなかろう。

私の知るところ、王毅の俺様態度を冷ややかに笑っていた政治家は安倍元総理と石原慎太郎元東京都知事ぐらいだった。

それはともかく、どんなことがあっても過ちを認めない、自分に対する非難はすべて理不尽な攻撃と思う、相手にすがるときは虚勢を張ってわざと攻撃的になる——こういうメンタリティは、ますます周囲との軋轢を呼び、その結果、孤立を深め、そして先鋭化へと向かう。

そのなかで中国国民が中国共産党の宣伝によって一種の被害妄想に取り憑かれて、集団ヒステリー状態に陥ったらどうなるか。昔のナチス・ドイツのように、どこかで一気に爆発する可能性がある。ひとつの方向に向かって国が突き進み、やがて沸点を超えてしまうのだ。

その矛先として最も危惧されるのが台湾なのである。

脱「中華」を決意した台湾

先にも触れたとおり、日米首脳会談では「台湾海峡の平和と安定」という言葉を明記している。G7でも同様だった。日米同盟とG7が台湾問題で団結を示したことに、習近平は相当焦りを感じているようだ。

ここにきて台湾をめぐる世界の状況も大きく変わろうとしている。

2021年8月、リトアニア政府が中国政府の再三の撤回要求を蹴り、首都ヴィリニュスに実質的な台湾の大使館にあたる「台湾代表処（だいひょうしょ）」を置くことを正式発表した。日本にも台湾の代表処はあるが、名称は「台北（タイペイ）代表処」（正式には台北駐日経済文化代表処）だ。新しくヴィリニュスに設置する代表処は堂々と「台湾」の2文字を看板に記したのである。ちなみに、リトアニアは、これまで台湾との外交関係はなかった。

台湾には、李登輝（りとうき）の総統時代に始まり、現在も続く「台湾正名（せいめい）運動」というものがある。公的な場で使われる中華、中国という呼称を台湾に変更すべしという運動だ。最終目標は台湾を正式な国号として世界に国家承認してもらうことにある。これは多くの台湾人の悲願であろう。

　そもそも「中華民国」は蔣介石の国民党が台湾島に落ち延びた際に持ってきた国号だ。以後、蔣介石は孫文ゆかりの中華民国こそ正統な中国であると主張し、大陸反攻を旗印にしてきたのである。しかし、元から台湾の地に生まれ住んでいる本省人（台湾人）にすれば、「中華民国」はいわば征服王朝のようなもので、その名は必ずしもしっくりくるものではなかった。

　国号が中華民国であるうちは中華人民共和国が主張する「ひとつの中国」論の呪縛から逃れられないのだ。台湾人アイデンティティの確立のためにも台湾正名は不可欠だという考えは年々根強くなっている。

　２０２１年の東京オリンピックの入場式で台湾選手団はプラカードこそChinese Taipeiだったが、ＮＨＫのアナウンサーは「台湾です」と明言し、台湾を独立国として扱ったことで台湾人を歓喜させた。ＳＮＳには日本に対する感謝と称賛の投稿であふれていたのである。

「一帯一路」から離脱したリトアニアの英断

さて、リトアニアに話を戻す。2021年5月、ウイグルが置かれている現状をジェノサイドと認定する決議案を可決させ、一帯一路からの離脱も明らかにしている。

激怒した中国は「人民日報」系の海外向けメディア「環球時報」を通してリトアニアを「頭のおかしな小さな国であり、地政学的な危険に満ちている」と例によって口汚く罵ったのである。

「小さな国」というもの言いが、まさに中華思想丸出しの傲慢な心根を、図らずもよく表しているではないか。というのも、中国はこれまで経済支援を餌に多くの小国や途上国に台湾との断交を迫り、それを成功させてきたのである。

コロナ禍においてはワクチン外交が新しい餌となった。自分たちの失策で新型コロナウイルスを世界中に拡散させておいて、困窮している途上国がいると聞けば、これ幸いと、ワクチンが欲しければ台湾と断交しろと迫る。ここまでくると、厚顔という言葉さえ中国にはほめ言葉になりそうだ。

2017年のパナマ、2018年のエルサルバドル、ドミニカ共和国に次ぎ、2019年にはソロモン諸島やキリバスといった太平洋に浮かぶ「小さな国」が次々と台湾と断交を発表している。中国の脅しとマネーの前に屈したのだ。これで台湾と国交を結ぶ国は一気に16まで減った。

中国は現在、ワクチン供与をちらつかせながら、ホンジュラス、グアテマラ、パラグアイといった中南米諸国と台湾の切り崩しにかかっている。バイデン政権が新型コロナワクチン8000万回分の最優先供給地域に中南米諸国を挙げているのは、中国のそういった動きを阻止する意味も、むろん含まれているのだ。

そんななか、リトアニア政府の英断は台湾に大きな勇気を与えたことだろう。バルト三国の小国リトアニアは中国に毅然（きぜん）とNOを突きつけ、あらためて自由主義諸国の一員であることを宣言したのだ。中国はさっそく駐リトアニア大使の召還などで揺さぶりをかけているが、リトアニア政府は動じる気配がない。今後、この流れに同調する途上国も出てくるだろう。

ちなみに、歴史的に見て、リトアニアは、エストニア、ラトビアとともにソ連の侵攻を受けてこれに編入され、その後、ナチス・ドイツの占領を経て、戦後に再びソ連に組み込まれるという数奇な経験をしている。そして、ソ連弱体化を好機と見て立ち上がり、流血の末に独立を勝ち取ったのだ。

それだけに、全体主義、社会主義に対する拒絶の念は根強い。いまも反ロシア感情が強い国として知られている。むしろ中国としてはロシアへの牽制のためにも味方に引き入れたほうが賢明だったろう。ここにもまた習近平の「見る目のなさ」が表れている。

同じように、大国に翻弄され続けてきた歴史を持ちながら、いまなお事大主義から抜け切れない韓国などと比べれば、リトアニアという国は、はるかに土性骨(どしょうぼね)が据わっている。「小さな国」と見くびっていると、手痛いしっぺ返しもあるかもしれない。

「台湾独立」という言葉は間違っている

「台湾独立」という言葉を台湾人からも日本の保守層からもよく耳にする。もちろん、台湾がひとつの独立国として承認され、TAIWANの名で国連に加盟することは、私も切に願うところだ。

しかし、ここにも言葉のマジックがある。「独立」というと、台湾は果たしてどこからの独立を目指すのかという疑問が生じざるをえない。台湾は歴史上、一度たりとも中華人民共和国の統治を受けたこともなければ、台湾島が中華人民共和国の版図に入ったこともないのだ。したがって、「独立」という言葉は中国政府のいう「ひとつの中国」の原則を暗に認めるものと揚げ足を取られる可能性がある。

では、中華民国からの「独立」を意味するのかというと、これも話がややこしい。蔣介石の国民党軍が国共内戦に敗れて台湾に流れ込み、この地を統治して以来、中華民国とは、すなわち国民党だった。中華人民共和国＝中国共産党というのと、認識的には大きな差はない。

ところが、台湾のいまの政権は民進党（民主進歩党）である。今後、選挙の結果いかんによっては再び国民党が政権の座につく可能性はゼロではないにしても、その選挙という民主主義的な手続きを踏んで政権が代わったのである。となれば、中華民国＝国民党＝台湾という図式も成り立たなくなるのではないか。少なくとも理屈のうえではそうなるのだ。

では、台湾が台湾たる独立国家として成立することを「独立」以外の言葉でなんと証言したらいいか。私は「台湾建国」がふさわしいのではないかと思う。

中華人民国の属領でもなく、国民党一党独裁の政府でもなく、「台湾」という正名を得て民主主義の旗のもとに新しい国家を樹立させるのである。この建国を、日米をはじめ自由主義陣営がサポートし、国連への加盟も呼びかける。それは遠い未来の話ではないような気がする。

日本は「放棄」したが「返還」していない台湾

というのも、1951年のサンフランシスコ平和条約（発効は翌1952年）で、日本はそれまで統治していた台湾の領有を「放棄」したが、どこにも「返還」はしていないのだ。つまり台湾の法的地位は未定なのである。蔣介石の中華民国についていえば、日本の敗戦のどさくさにまぎれて台湾島を占拠したのが正確なところだろう。

アメリカも、これを半ば黙認したかたちである。当時は国共内戦の真っただ中で、国民党の劣勢が目に見えていたし、台湾全島が赤化するくらいなら、蔣介石に任せたほうがよいと思ったはずだ。

しかし、占領軍としてやってきた国民党の先兵は、それまでの統治者だった日本人とは大違いで、略奪と暴力と賄賂をむさぼることしか能のない無芸大食の輩（やから）たちだったのである。その横暴に堪忍袋の緒が切れた台湾の民衆が蜂起し、これを聞いた蔣介石は大陸から鎮圧隊を送り込み、流血の惨事となった。これが先にも少し触れた１９４７年の二・二八事件である。以後、白色テロと呼ばれた恐怖政治の時代が続く。

当時を知る台湾人は、「アメリカは日本に原爆を落とし、台湾に蔣介石を落とした」という。この言葉からも、アメリカが蔣介石に台湾統治を任せるという暗黙の了解があったことがわかる。

台湾だけではない。アメリカはやはり日本領だった朝鮮半島の半分、つまり韓国に李承晩(イスンマン)を落としている。妻がオーストリア人のプロテスタント教徒で、戦時中はアメリカの庇護(ひご)にあったこの男は、まさに傀儡(かいらい)と呼ぶにふさわしい。

名ばかりの臨時政府の首領から戦後、初代大韓民国大統領として、まるでド・ゴール気取りで帰国した李承晩がやったことは、済州島(チェジュド)四・三事件をはじめとする数多くの民衆虐殺事件だった。少しでも彼の目に共産主義者と映った人士は、その家族とともに無慈悲な銃弾を浴びたのである。

日本での「成功体験」が裏目に出たアメリカ

もっとも、アメリカのこういった統治者の人選を含む戦後統治の基本的判断ミスは、その後の中東を見てもよくわかる。

たとえば、ジョージ・ウォーカー・ブッシュ（子）大統領が起こしたイラク戦争（2001年）。ブッシュは戦争終了後の占領統治をGHQ（連合国軍最高司令官総司令部）による日本統治をモデルにすると発表した。これを聞いて耳を疑った識者は多かっただろう。私はあまりにも日本人をバカにしていると思ったし、ひいてはイラク人を舐めていると思ったものだ。

GHQによる統治も本来、温厚で思慮深い日本人だからこそ、さしたるトラブルもなく協調的な態度を崩さなかったのであって、これは他民族統治のミラクルといっていい。

イラクのような多民族国家、しかも激しい宗派対立を抱え、西欧文化に対する敵愾心も根強いこの地域をまとめるのは、ひと筋縄ではいかないことは、子どもでも理解できよう。

まさに、結果は予想していたとおりで、サダム・フセインという重石が取れたことによって、イラクは、それまでかろうじて抑えられていた問題の多くが一気に噴き出し、カオス状態と化したのである。

アメリカが親米政権と見込んだシーア派のヌーリー・マリキ首相は頼りにならず、宗派対立はむしろ激化し、略奪とテロが横行し、アメリカ軍キャンプはたびたび標的になっている。

戦争の大義だった大量破壊兵器は結局見つからないまま、若い兵士の血と膨大な戦費だけが虚(むな)しく砂漠に消えていっただけに終わった。アメリカの最大の失敗はIS(イスラム国)の台頭を許してしまったことだろう。

アメリカは、なまじ戦争が強いだけに、占領統治に関しても自分たちは優等生であると勘違いしているようだ。あらためて思うが、日本人という秩序と和の民族を統治した成功体験が、彼らにとって幸いであり、不幸だったのかもしれない。

「大陸反攻」を目指すか、「台湾解放」を目指すか

台湾に話を戻そう。連合国の戦後処理のまずさが台湾の命運に大きな影を落としたこと

は理解いただけたかと思う。

蔣介石にとって中華民国こそが正統な「中国」であり、台湾は中華民国政府を一時的に置く仮の宿、いわば臨時政府のようなものにすぎなかった。いわば都落ちである。母なる大陸は毛沢東の共産党に盗まれてしまったが、いつかそれを取り戻さなければいけないという意味で、蔣介石は「大陸反攻」のスローガンを掲げ、国民もそう教育された。

こんな蔣介石だから、台湾人であるという意識もなければ、台湾への格別な愛情もなかったのは当然だ。その証拠に、蔣介石とその息子の蔣経国の遺体は防腐処理をされて桃園市内の安置所の石の台座の上に置かれ、いまだ埋葬されていない。蔣介石は遺言で「大陸反攻が成功した暁には、自分の遺体は故郷の浙江省に埋葬してほしい」とした。台湾の土になる気はなかったのである。息子もこれに倣ったかたちだ。

一方、毛沢東の中華人民共和国は１９４９年に建国されている。こちらが掲げるスローガンは「台湾解放」である。つまり、蔣介石軍に占拠されている台湾を解放し、本来あるべき台湾省として中国の一部に併呑するというのがその理屈だ。

「大陸反攻」にしろ「台湾解放」にしろ、台湾人にしてみれば迷惑な話でしかない。

台湾は日清戦争で勝利した日本が清から割譲された島である。当時、清からは「化外の地」と呼ばれ、マラリアと匪賊が跋扈するこの島に、日本は各種インフラを築き、学校を建て、保健衛生の概念を持ち込み、産業や農業を発展させた。いまでも台湾が有数の親日国であるのも、この歴史的事実が大きい。蔣介石・経国時代の圧政を知る世代には、なおさら日本統治時代が懐かしいのである。

それはともかく、日本は清から台湾を割譲されたのであるから、もし「返還」するのであるなら、返還先は清でなくてはならないが、清はすでにない。となれば、「大陸反攻」と「台湾解放」の争いは、中華民国と中華人民共和国、どちらが清の正統な後継かの争いということにもなり、当の台湾人はますます置いてけぼりにされるばかりだ。

歴史に翻弄され続ける台湾だが、その決定打ともいえるのが1971年の国連脱退だった。台湾は中華民国として国連に加盟していたが、同年10月に中華人民共和国が国連に加盟し、それによって中華民国ははじき出され、常任理事国の座も奪われることになったのだ。表向きは中国人民共和国の国連入りに抗議するかたちで蔣介石が脱退を表明したことになっているが、実質は追放といってよかろう。

これにより、「中国の唯一の正統な代表は中華人民共和国」という中国の言い分にお墨つきを与えられてしまうのである。以後、中華人民共和国と国交を結ぶ国は「ひとつの中国の原則」という踏み絵を踏まされることになる。

この「中華人民共和国加盟、中華民国追放」の決議案のそもそもの提案国はアルバニアで、それゆえにアルバニア決議と呼ばれている。中国は1950年代のころから友好国で国連加盟国のアルバニアに接近し、台湾追い出しのために着々と準備をしていたのだ。こういうやり方は、じつに中国らしい。

蔣親子の支配から台湾を解放した李登輝

独裁政権を率いた蔣介石が1975年に87歳で没すると、息子の蔣経国が跡を継ぎ、第2代中華民国総統となる。

蔣経国時代も一党独裁は続いたが、彼は本省人政治家も要職に多く登用し、「私もまた台湾人だ」と発言したように、父が掲げた非現実的な大陸反攻から中華民国の台湾化へと舵（かじ）を切り、民主化への道を開こうとしたことでも知られる。

蔣経国に対する台湾での評価はまだ定まってはいないが、この事実については、日本人ももっと知っておいてもいいだろう。

そして、蔣経国の病没とともに副総統職にあった本省人の李登輝が第3代総統になると、台湾の民主化は一気に加速していく。なんといってもその意義が大きかったのは、1996年3月に行われた台湾初となる直接選挙による総統の選出である。

中国側はこれに大反発し、演習と称して台湾海峡にミサイルを撃ち込む恫喝を行ったが、かえって台湾人の結束を固める結果となり、現職の李登輝が勝利している。

李登輝は日本による台湾領有時代に岩里政男（いわさとまさお）という日本名を持ち、京都帝国大学時代は学徒兵として従軍した経験もある。流暢な日本語を話し、日本人が台湾に残した日本精神の崇高さを説く李登輝のファンは日本にも多い。

政界引退後の2007年の来日では、太平洋上で戦死した兄に会うためといって、夫人や孫娘をともなって、堂々と靖国（やすくに）神社にも参拝している。日ごろ中韓から過去の歴史をネタに責め立てられている日本人にとって、李登輝の存在は大きな励みになっていたはずである。

当然ながら、中国からは「中国分裂」を煽動する危険人物以外の評価は許されていない。

当時の王毅駐日大使は2004年に日本経団連でのスピーチで「トラブルメーカー（李登輝のこと）が戦争メーカーになるかもしれない」と例によって脅迫的ともいえる発言で

李登輝の観光ビザでの入国を妨害しようとしたし、先に触れた２００７年来日時に李登輝一行が帰国の途につこうとしたところ、成田空港で待ち伏せしていた在日中国人の男に中身が入ったペットボトルを投げつけられる事件もあった。

李登輝は２０２０年７月に97歳で天寿をまっとうしたが、現在、蔡英文総統が志を継ぎ、台湾の独立（建国）と国家承認のために奮闘している。

「憲法第9条」の平和とは違う「平和的統一」の平和

毛沢東時代の中国は、「台湾反攻」をスローガンに掲げながらも、台湾に軍事攻勢する実力も余裕もなかったといってもいい。中華人民共和国樹立後も権力の完全掌握には多少の時間が必要だったし、大躍進や文革での混乱も長引き、その後は中ソ対立も抱えていた。本腰を入れて台湾に干渉する余裕はなかったのである。

海軍力がない中国では物理的な侵攻はまず無理で、せいぜいが金門島に対して砲撃して内外に緊張をアピールするぐらいのものだった。

鄧小平の時代になると実効性が低い「台湾開放」のスローガンは引っ込め、「平和的統一」という新しい戦略を持ち出してきた。

中国のいう「平和」とは日本の憲法第9条信者さんが想像するお花畑な「平和」とは根本的に言葉の意味が違う。そこには、仲よくだの、話し合いだの、お互いの意見を尊重するだのというニュアンスは微塵もない。「武力を使うまでもない侵略」、それが中国共産党が使う「平和」の意味なのである。

どういうことかといえば、台湾との経済交流を深める——ヒト、カネ、モノの流れを活発化させ、中国への経済依存度を高めれば、いずれ台湾はおのずから中国の懐に落ちてくるという戦略である。

これは考えようによっては武力による侵攻より狡猾で恐ろしい。軍事侵攻は国際社会の批判を招きかねないが、経済関係による併呑に関しては他国が干渉できないからだ。経済を通して相手を雁字搦めにして吸い上げるやり方は、多少かたちを変えて現在の一帯一路に踏襲されている。

実際、中国は台湾に対して徹底的にこれをやった。しかも、そこには恐ろしい罠が幾重にもしかけてあったのだ。

安い人件費を餌に大陸に工場を招致し、技術を吸い上げる。官製ストライキで法外な賃上げを要求する。新たな法律をいくつもつくって撤退できないようにする（生産ラインや原材料ごと工場を置いていかなくてはならないなど）。台湾から派遣された社員を不当に逮捕して「ひとつの中国の原則」に賛同することを誓わせる、などなどだ。

中国で工場を置くにしても、いざ開業の段になって電気も水道もガスも通っていないことが多いという。それぞれ係の役人にお願いして通してもらうのだが、その際には多額の袖の下（賄賂）を要求される。何せ急病で救急車を呼ぼうにも救急隊員にそれ相当の袖の下を渡さないと病人でさえ山のなかに捨てられてしまうような国なのである。

こういった賄賂被害、ストライキ被害は、日本をはじめ、中国に進出した世界の企業も経験していることなのだ。

早い段階でカントリーリスクに気づき、傷が浅いうちに撤退を決めてしまえばいいのだが、進出企業からすれば賄賂もまた大儲(おおもう)けする前の「投資」と思って目をつぶってしまおうとする。結果的に、そういった不可解な「投資」は膨らむだけ膨らみ、今度はその投資分を回収しなくてはと、ますます抜けられなくなってしまうのだ。人間の欲望につけ込む。これが中国流のやり方なのである。

習近平の時代になると、今度は「一国二制度」という甘い囁きで台湾に統一を呼びかけたりもした。

2019年1月、「一国二制度による台湾統一」をみずからの台湾政策の一枚看板に掲げたが、その後、彼が香港問題で取った行動の一つひとつは、まさに「一国二制度」の欺瞞性をみずから暴くに等しいものだった。

挙げ句の果てには香港国家安全維持法――つまり、香港での反政府的活動（と中共政府が判断すれば）を犯罪として取り締まることができる法律――の制定をもって、習政権はみずから「一国二制度」を完全に壊してしまった。いまでは「一国二制度」という言葉を信じる者は、台湾どころか地球のどこにも存在しないだろう。

自分が打ち出した政策を自分の蛮行や愚行によって打ち壊すとは、習近平外交は、もはや支離滅裂の境地に達しているといってよい。

自分を「台湾人」と認識し始めた若い世代

台湾の国立政治大学が行った台湾住民を対象にした最新（2021年7月）の調査によると、自分を「台湾人」と答えた人は63・3％で、「台湾人でも中国人でもある」は31・4

%、「中国人」は2・7%だった。1980年代からの民主化を受け、台湾人意識が定着していることを示している。とくに若い世代に「台湾人」意識が強い傾向にあり、8割近くが自分を「台湾人」と認識しているという。

おそらくこの傾向はこのまま続く。「台湾人」派は微増を続け、決して後戻りはしないであろうと思われる。台湾に住む人、本省人、外省人（がいしょうじん）、それに原住民系を含めて、台湾人アイデンティティがほぼ確立されたと見ていい。

中国の度重なる内政干渉、軍事的挑発、外交的いやがらせに加え、香港の惨状と一連のコロナ禍が台湾人の心からすっかり「中国」を消し去ってしまったのである。

一方、台中関係においては、「現状維持」が55・7%でいちばん多く、「独立」31・4%を上回った。「統一」は7・4%であるが、これを多いと見るか少ないと見るかは意見が分かれるところである。

「現状維持」が過半数なのは急激な変化は望まないということなのだろうが、一気に独立へと向かおうとすると、そのときこそ中国が武力による併呑に乗り出してくるのではないかという恐れもあるのかもしれない。歴史に翻弄されてきた台湾人は、やはりどこか慎重だ。まあ、これに関してはあくまで私見だが。

習近平がこのアンケート結果をどう見ているかはわからないが、実質上、彼らが掲げた「平和的統一」が不可能なことは理解できているはずである。

台湾企業の大陸からの引き揚げが進んでいる。いま、中国に工場を置くことはカントリーリスク以前に対米関係にとってもあまりよろしくない。ほかの国の企業も同様で、これは世界的な傾向にある。逆にいえば、企業に対する国内回帰の呼びかけのいい口実となっている。

元を取り返そうと踏ん切りがつかず、中国で頑張っていたばかりに血を吸われ続けていた台湾企業も、アメリカとの取引ができなくなるのならと撤退の決心を固めたようである。日本がフッ化水素などの対韓輸出規制を強めたことで韓国の半導体関連産業が沈没したのも台湾に追い風になっている。5G（第5世代移動通信システム）時代を迎えるにあたって、台湾がその分野でのトップに返り咲くのも時間の問題だろう。

昨今のパイナップル騒動のように中国の意地悪によって市場を締め出されても、日本という新しい買い手ができた。安くて甘くておいしい台湾フルーツは日本人に人気の的で、これが台湾ブランドの新たな可能性を示している。

台湾は、このように対中経済依存から少しずつ抜け出しつつある。「平和的統一」の危険な引力圏から、どうにか脱出できそうだ。

習近平は必ず台湾を獲りにくる

「平和的統一」が不可能と知れば、中国にとって最終的に残るのは軍事力で統一する以外にない。中国は決して台湾を諦めることはないからだ。

台湾を併呑することは、たんなる領土の拡張以上に非常に重要な意味を持つ。世界地図を描き換えることは中国共産党の偉さの証明にもなるわけだ。

中国人は歴史的に見て碑（モニュメント）を建てるのが好きである。王朝の偉大な功績や他民族征伐の記録を石に刻み、永遠に保存するためだ。

清の開祖ホンタイジは、朝貢を拒絶した朝鮮に兵を送ってこれを制圧し、清皇帝に李王が跪くレリーフをはめ込んだ「大清皇帝功徳碑」を降伏の地であるソウル市内の三田渡に建てさせている。韓国では現在、この碑を「恥辱碑」とも呼んでいる。

世界地図を描き換えるのは、碑を建てることと同等、それ以上の意味を持つのだ。第2次世界大戦終了後の世界地図を見れば、戦前のそれから大きく描き換えられているのがわかる。アジアから西欧列強の植民地がほとんど消えたのは、その大きな例だ。

半面、目立つのがソ連、そして中国の膨張である。本来、満州人の土地である満州が東北三省と称して、ちゃっかり中国の土地に組み込まれてしまっているのだ。チベット、ウイグル、南モンゴルは何をかいわんやである。

習近平は地図上の台湾、そして尖閣諸島を中国と同じ色に染めることを宿願としている。それは自分が王位についているうちに成し遂げなければならないと強く思っていることだろう。

というのも、毛沢東の再来を目指しながらも、習近平には毛沢東と比べたら、これといった業績がない。これが彼のコンプレックスのひとつにもなっている。

もし台湾を彼の手で統一し、世界地図を描き換えることができたら、彼の政治的立ち位置と、中国共産党の歴史のうえでのポジションは毛沢東と並ぶ、いや、ある部分では毛沢東を超えたことになるのだ。

まだ「国共内戦」は終わっていない

じつは中国共産党の「神学」的には国共内戦はまだ終わっていないのだ。台湾を「解放」して初めてそれは完了する。習近平は国共内戦の勝利者として、あらためてその頭に絶対的独裁者の冠をかぶり、彼の名と〝偉業〟を刻んだ碑を中国中に建てるだろう。

台湾島の戦略拠点としての価値も高い。もし台湾の高雄にでも中国の海軍基地をつくることができたら、彼らは太平洋を自分たちの庭にすることも可能だろう。これは日米軍事同盟の事実上の無力化を意味する。

アメリカにしても、この地域から第7艦隊が追い出されることになり、アジアにおける影響力は一気に低下しよう。習近平がトランプに行った「中米で太平洋を二分しよう」という戯言が現実のものとなるのだ。

当然ながら、台湾が中国の懐に落ちれば、日本にとっての大切なシーレーン（海上交通路）である台湾海峡を押さえられてしまうことになり、ここを航行してやってくる石油や天然ガスを積んだタンカーが中国の許可なくては通過できないことになるし、安全保障上も大きな影響を受けることになる。

尖閣諸島も事実上、中国の管理下に置かれ、あの海域に眠るとされる膨大なエネルギー資源や漁業資源が根こそぎ奪われることは目に見えている。

先祖代々この場所で漁を続けてきた日本の漁師は銃撃され、あるいは拿捕（だほ）されてしまうだろう。抑留され、外交上の人質とされる可能性もある。

日本は、かつて韓国にこれをやられた。彼らが勝手に引いた李承晩ラインによって拿捕された日本人漁民が日韓交渉時の人質にされてしまったのだ。海上で狙撃されて亡くなった漁民や、釜山（プサン）の収容所の劣悪な環境や看守の暴力によって亡くなった漁民も多い。

さらに怖いのは、中国では捕らえた漁民にスパイの罪名をかぶせて死刑判決を出すことなど朝飯前の国ということだ。

台湾は日本にとっても譲ることのできない大切な生命線であることを、日本人は、あらためて確認すべきだ。

習近平が喉から手が出るほど欲しい台湾のＩＴ技術

もうひとつ、習近平が是が非でも台湾が欲しい現実的な理由は、台湾が持つ高いハイテク力だ。

アメリカによるファーウェイ締め出し以降と、輸出規制以後、同社は青息吐息の状況にある。

中国の泣きどころは半導体を自給生産する能力が低いところだ。じつは中国は世界一の半導体消費国なのだ。半導体を輸入し、スマートフォンなどの製品をつくり、世界に輸出する。半導体が輸入できなければ商売が成り立たないのである。

中国は２０２５年までに半導体の自給率を70％に上げることを目標に掲げるが、アメリカの調査会社ＩＣインサイツの試算によると２０２４年で20・7％にとどまるという。これもアメリカの輸出規制以前の予測データだから、だいぶ楽観的な数字だ。いくらなんでも1年で50％増は無理な話だろう。

日進月歩のＩＴ産業にあって、中国の技術は完全に後れを取っている状況だ。これでは

5G時代に対応できない。

しかも、中国で生産されるIC（集積回路）の6割は外資系企業、製造技術の革新的部分はアメリカ企業が握っているのが現状だ。完全にアメリカに首根っこをつかまれている状態である。

こういう事態を招いた原因は、ひとえに中国自身にある。技術関係での基礎研究、基礎教育をないがしろにしてきたことの報いである。

「技術は習うものではなく盗むものだ」というのは、日本の職人の世界でよくいわれる言葉だ。口で教えてもらうのではなく、親方の仕事を見て（技術を）自分のものにせよという格言だが、中国人は文字どおり、技術は盗むもの、つまりパクるものという意識が強い。あるいは、技術者ごと引き抜き、必要がなくなったら捨てる。これでは当座使える技術は確保することができるが、それを応用して新しいものに発展させるという方向性がない。自由主義社会から締め出しを食らったら、とたんに技術は枯渇してしまった。原材料も入ってこないから、製品もつくれないし、売る相手もいない。まさに死に体をさらしている状況である。

世界最高水準を誇る台湾の半導体製造技術。これを会社ごと根こそぎ奪い、中国の基幹産業にしようというのが習近平の思惑なのだ。

中国のスマートフォン産業の凋落（ちょうらく）については、次章で深く触れてみたい。

バイデンの「防衛義務」発言の真意

習政権は2022年秋の党大会で2期目を終え、よほどのことがないかぎり、そのまま3期目に突入する。いよいよ独裁政権は安定期に入るわけだ。この3期目に、なんとしても軍事力を使って台湾を併呑してしまおうと考えているはずである。

この章の前半で、アメリカの識者の見解として、中国の台湾攻勢は「いまのところ」ないと見ていると書いたが、その「いまのところ」のリミットが2022年秋であるということだ。党大会を無事に終えるまではアメリカを刺激するような真似（まね）は慎んでおくという腹づもりなのである。

アメリカのインド太平洋軍のフィリップ・デービッドソン司令官は、2021年3月のアメリカ上院軍事委員会の公聴会で、「中国の台湾侵攻は6年以内」と予測した。6年以内、つまり2027年までにということだ。習政権の3期目の終了が2027年で、ピタリと当てはまる。

1953年生まれの習近平は2027年には74歳。気力、体力、知力、それらを考えてもここらへんが限界だろう。台湾統一という大偉業を成し遂げ、それこそ21世紀の中華皇帝となって、誰に寝首をかかれる心配もなく安泰な余生を送る。それが彼の思い描くロードだ。

では、中国が台湾に軍事侵攻したら、アメリカはどう動くか。それがいちばん気にかかるところだろう。

バイデン大統領は2021年8月19日のテレビインタビューで、「アメリカには日本、韓国同様、台湾に対しても防衛の義務がある」と発言し、これまでアメリカが示してきた「曖昧戦略」を一歩踏み越えたものとして注目されたが、アメリカ政府高官が慌ててこれを修正し、「アメリカには台湾の防衛義務がない」と従来どおりの考えを示した。

バイデンが巷間（こうかん）いわれているようにボケの症状がかなり進んでいるのでなければ、ポロリと彼の本音が出たといったところだろう。これを聞いたときの台湾の蔡英文が、ニヤリとしたか、ドキリとしたか、想像してみるのも個人的にはおもしろい。

「曖昧戦略」というのは、台湾が武力攻撃されたときのアメリカの行動に関して明言を避ける戦略のことである。中国をいたずらに刺激しないことであるし、ある意味で態度を明確にしないことが一種の抑止力になってきたのも事実である。台中問題（両岸問題とも）に関してアメリカはジョーカーであり続ける戦略を取ってきたのだ。

しかし、アメリカの腹づもりは台湾防衛で固まっている。だから、1996年の台湾総統選挙に対して中国がミサイル恫喝をしたときも、「偶然通りかかった」こととして空母2隻を台湾海峡に派遣したのだ。アメリカと台湾のあいだには、ある種の阿吽（あうん）の呼吸が存在するようだ。

すでに世界的な課題となった中台問題

2019年3月、当時のトランプ大統領は最高レベルのアメリカ政府高官の台湾渡航を可能にする新法に署名している。これによって米台の高度な会談を台湾で行うことが可能となった。

中国政府はさっそく反応し、「アメリカは過ちに気づき、すぐに正すべきだ」と例によって上からのもの言いで金切り声を上げたが、それだけ彼にとって米台連携の強化は悪夢ということだ。

当然ながら、台湾の高官もアメリカにやってくる。日本と台湾のトップ級会談などアメリカでやればいいだけの話だ。

同年6月には台北市東部にあるアメリカの代表機関で事実上の大使館にあたるＡＩＴ（米国在台湾協会、American Institute in Taiwan）の新庁舎が完成し、オープンした。2億5500万ドル（約280億円）をかけた新ＡＩＴは、従来の大使館業務はもとより、台湾防衛に関するあらゆる最新情報を収集、分析するインテリジェンスステーションの機能も兼ね備えている。アメリカ海兵隊員が常駐して警備にあたる計画もあったが、これは国防総省サイドが否定している。

落成式に出席したマリー・ロイス国務次官補は、「新ＡＩＴは米台関係の堅固さを反映した目に見える象徴であると同時に、今後何年にもわたってさらなる協力を可能にする最新鋭の施設だ」と述べた。ＡＩＴのジェームズ・モリアーティ理事長は「米台関係における新たな一里塚」としている。中国にとっていやな存在であるのはたしかだ。

トランプは大統領就任が決まった直後の2016年12月2日、蔡英文と電話会談を行っている。形式上は蔡英文から大統領選勝利の祝福の電話をもらい、しばし歓談したことになっているが、1979年の米中国交樹立にともなって台湾と断交して以来、両国トップが公式に接触するのは初めてのことだ。しかも、トランプはこのとき、蔡英文をThe President of Taiwan（台湾の大統領）とはっきり呼んだのである。つまり、蔡英文を「国家」の首脳として遇したわけだ。

同日に訪中していたヘンリー・キッシンジャーと会談していた習近平は赤っ恥をかかされたかたちである。同時に、長いあいだ、アメリカを陰で操っていた親中派の妖怪キッシンジャーに事実上の引導を渡したことにもなる。トランプらしい大胆なやり方といえばやり方といえる。トランプがいかに米台関係に重きを置いていたのかがわかる。

バイデン政権も基本的にトランプ政権の台湾政策を受け継いでいる。2021年8月4日、バイデン政権は台湾に対して新たな武器売却を発表した。40両の「自走砲」と呼ばれる車両、搭載する大砲、関連の装備品など、あわせておよそ820億円にのぼる武器ビジネスの成立である。アメリカにとっても悪くない話だ。

中国外務省は「米中関係と台湾海峡の平和と安定を著しく損なう」「しかるべき対処を取る」と歯ぎしりの状態だが、すべてはあとの祭りである。

レイモンド・グリーン駐日臨時代理大使の役割

曖昧戦略もそうだが、アメリカは両岸問題に関しては、つねにワンクッション置いた言及に終始してきた。中国との摩擦を回避するためである。しかし、ここにきて、その態度にも変化が見られるようになった。

2021年6月、当時のAITのレイモンド・グリーン副所長は、離任にあたって「台湾との関係にピリオドが打たれるわけではない」とし、「台湾はアメリカにとって、もはや対中関係上の問題ではなく、自由で開かれたインド太平洋を推進する好機である」と述べている。

つまり、台湾と中国の緊張はもはや2国間の問題ではなく、中国と自由主義陣営の問題と理解する必要があると明言したのだ。2国間の問題なら、アメリカの立場は、いまいったように微妙なスタンスを取らざるをえず、台湾に肩入れすることは干渉、介入になってしまう。しかし、中国vs.自由主義陣営という図式なら、アメリカは当事者であり、今後、発言に気を使う必要はないわけである。

ちなみに、グリーンの夫人は台湾人で、むろんグリーン自身が大の親台派だ。台湾の独立派のシンボルカラーが緑（グリーン）というのも偶然にしてはおもしろい。

そのグリーンの次の赴任先が日本（駐日臨時代理大使）であることの意味も大きい。

「これから日増しに強まる米日台の協力関係に貢献できることを期待している」とグリーンは抱負を述べている。「米日台」、つまり日本も第一線に立たされている当事者であり、その役割に期待するとのメッセージでもあるのだ。

沖縄のアメリカ総領事を務めたこともあるグリーンは中国語のほかに日本語も堪能である。日米台のリモート役にはぴったりの人物といえるだろう。

いまこそ台湾からの「借り」を返すべき日本

麻生副総理の「台湾海峡の情勢悪化は集団的自衛権の存立危機事態にあたる」という発言は、こうした米台の流れに沿ったもので、日本の明確な回答であると捉えるべきである。

幸い、日台の関係は非常によい。

２０１１年の東日本大震災の際に、台湾は親中反日として知られる馬英九（ばえいきゅう）政権でありながら、どこの国より早く救助隊を派遣し、かつ約264億円もの義援金を送ってくれた。

これを多とした日本は中国の妨害でドイツ製新型コロナワクチンの入手が滞って苦境に立つ台湾に国内供給用に備蓄してあるイギリスのアストラゼネカ社のワクチンの一部を送り、台湾国民から大変感謝されている。困ったときはお互いさまを地でいった感じだ。

実際、ワクチン不足では国内でも突き上げにあっていた蔡英文にとっても大きな助けになったであろう。いま、蔡政権に倒れられてしまっては日米にとっても困るのは明白だ。コロナ禍対策の拙劣さで何かと批判も多い菅義偉前総理だが、この決断には大いに拍手を送りたいものだ。

2020年に李登輝が亡くなったとき、当時の安倍総理は名代として森喜朗(もりよしろう)元総理を葬儀に出席させた。李登輝や蔡英文とも親しい安倍総理のこと、本来なら自分が飛んでいきたかったところだろうが、立場上それがかなわないことで森に白羽の矢を立てたが、これ以上ない人選といえた。

李登輝は総統職を辞したあと、日本での心臓治療を希望していたが、中国の顔色をうかがう外務省チャイナスクールと媚中派の党内重鎮によって来日を阻まれていた。それを「病気治療で来日を希望している私人を拒むのは人権問題だ」のひと声でビザ発行を実現させたのは時の総理大臣だった森だった。2001年4月のことである。以後、李登輝は頻繁に来日を果たしているが、これも森の決断がなければありえなかっただろう。

スポーツの国際試合で見る日台両チームの相手を称え合う姿も、じつに気持ちいいものだ。中国や韓国チームのラフプレー、不正、マナーの悪さを見せられてきた目には、余計に清々(すがすが)しく感じる。

台湾パイナップルの購買運動については先に触れたとおりである。

台湾では日本時代の教育を受け、日本を懐かしむ李登輝世代のお年寄りは年々少なくなっていくが、彼らの孫、ひ孫と呼ばれる世代にしっかり親日は受け継がれているようだ。中学と高校の第2外国語で日本語を選択する子は多い。彼らは、むろん日本のアニメやポップスが大好きだ。

今後も日台の絆(きずな)はどんどん強まっていくことだろう。

文化やスポーツの交流も大切だが、歴史的、地政学的な意味での両国の結びつきの大切さを、あらためて考えるときが来ている。両国は切っても切れない関係にあるのだ。台湾有事は、すなわち日本有事なのである。

このままいけば、中国と自由世界の最終戦争は台湾海峡を舞台に始まる確率は高い。

そうなれば、戦場は沖縄のすぐ先だ。日本は憲法第9条を枕に一国平和主義の惰眠をむさぼるわけにはいかなくなる。日本が担う役割も大きくなっていくだろう。

ただでさえ日本は日中国交正常化で盟友の台湾を切り捨ててしまったという借りがある。中韓にいらぬ贖罪(しょくざい)意識を持つなら、その半分でも台湾の置かれている現状に心と目を向けるべきだろう。最終的に、それが日本を救うことになるのだから。

第4章 世界が知るべき「中国経済」の虚像

――なぜ、それでも各国は「14億人市場」に投資するのか

高層ビルとマンションが乱立する北京の中心部。貧富の格差が拡大し、消費が冷え込んでいるにもかかわらず、なぜ不動産バブルが発生したのか。そこには世界からの投資を集めつつも、警戒の目で見られてもいる中国経済の急成長のカラクリが垣間見える。

欧米の対中姿勢がはらむ矛盾

トランプ政権の対中関税制裁から始まった米中新冷戦は、いわば経済戦争の側面も色濃かった。じつは、そこが新冷戦の様相を複雑にしているともいえる。

というのも、米ソを中心とした先の冷戦の場合、西側の自由世界陣営と旧ソ連の社会主義陣営は、お互いに経済的にほとんど交流がなく、関係性は希薄だった。西側は西側の経済で回っており、その意味では自己完結的だった。

旧ソ連は旧ソ連のもとで当時の中央ヨーロッパ、ハンガリー、ポーランド、チェコスロバキアといった国々、それに衛星国があって、ソ連を中心とした経済圏が成立していた。東西別々の経済圏をつくったうえで対立していたわけである。

しかし、現在の中国vs.世界各国の冷戦を見ると、人権問題、安全保障、それにコロナ禍といったふうに、全方向に対立の火種は広がっているが、その一方で、両者のあいだには経済的に非常に複雑な結びつきが存在しているのだ。

誰にでもわかりやすい例を挙げるなら貿易の問題。フランスにとっても、ドイツにとっても、アメリカにとっても、むろん日本にとっても、中国は大事な貿易相手国であるのはいうまでもない。

とりわけドイツなどはドイツ製品を大量に中国に買ってもらわなければやっていけない状況にまで対中依存が進んでいる。とくにメルセデス・ベンツやフォルクス・ワーゲンなどドイツの高級車は、中国の富裕層のステータスシンボルになっており、いまやいちばんのお得意さまになっている。ルイ・ヴィトンやサン・ローランといったフランスの高級ブランドもそうだ。

アジアに海軍を派遣して中国を牽制する一方、2020年までは中国と投資協定を結ぼうとしていたのがドイツだった。アメリカもアメリカで、中国とこれほど対立しているなかでも貿易でつながっていたわけである。

自由主義社会における中国経済の存在感の大きさは無視できないものがあったことはおわかりだろう。要するに、EUにしても、アメリカにしても、中国に対する態度や姿勢は、ひと筋縄ではいかないものになっていたのである。

一方は中国を軍事的に警戒しつつ、しかし中国の経済と貿易の面では積極的にならざるをえない矛盾。あるいは、中国の人権問題は批判しながらも、中国でものを売りたい、中国に買ってもらわないと国内の製造業がもたなくなるというぼやき。メーカーも有権者であり、納税者であるから、その声を国が無視するわけにいかず、その結果、見て見ぬふりが続いてきたわけである。

しかし、そこで直面するのは、たとえばウイグルでの強制労働の問題。徹底した人権侵害までしてつくらせた新疆綿を原料にした製品を、西側諸国が、みんなそのまま商品として買うことでいいのだろうかという話だ。

さらに矛盾している面は、アメリカをはじめとする自由主義諸国は、中国の脅威を十分に認識していて、それをなんとか食い止める、封じ込める方向で一致しながら、しかし一方で西側の多くの企業が中国で投資している。それは、つまり投資というかたちで、敵国である中国にお金をあげていることになるわけだ。

あるいは、中国の巨大化、なかんずく軍事的脅威を増強させているもうひとつの要因を考えれば、西側企業が中国に技術を提供していることである。極論すれば、アメリカや西側諸国に照準を合わせている中国のミサイルや最新兵器の技術は、すべて西側から渡ったものだと思っていい。考えれば愚かな話ではないか。

役人も警察も魑魅魍魎だらけの中国

中国に技術を売る企業も大問題だが、それ以上に深刻な問題は、中国という国が自分の都合のいいように法律や規則を変えることができる国だということだ。

西側の企業が中国に投資し、工場をつくり、操業を始めようとすると、とたんに法律が変わり、強制的に技術を提供させられるケースもめずらしくないという。

これに従わないと、ラインや機械ごと工場を置いて、身ひとつで帰国しなければならなくなるから恐ろしい。最悪の場合は逮捕だ。罪状など、いくらでもでっちあげられる。あるいは、合弁会社をつくらせ、そこから技術を吸い上げる方法もある。

当然、産業スパイも多いし、派遣された技術者には、マネートラップ、ハニートラップ（色仕掛け）を含めた、さまざまな誘惑の罠が待っている。中国では現地の役人の覚えがめでたくなければ工場は動かせない。

むろん、役人とのつきあいには袖の下（賄賂）が絶対だ。多額の賄賂を渡して、ようやく工場を稼働させたものの、今度はその賄賂をネタに逮捕されるという理不尽な目にあった外国人現場主任の例も聞く。その現場主任は、どうにか無罪放免と相なったが、どうしたと思うか？　逮捕状を持ってやってきた警察官に賄賂を渡したのだ。あとでわかったことだが、役人と警察官はグルだったという。

この場合、純粋にお金目的の〝引っかけ〟だったわけだが、なかには行政区が主犯となって逮捕をちらつかせ、虎の子の技術をよこせと迫るケースもある。日本人にすれば、まさに魑魅魍魎（ちみもうりょう）の世界に足を踏み込んだ思いだろう。

「本物のニセモノ」を製造する工場

技術の剽窃（ひょうせつ）も企業にとって多大な損失になるが、ニセモノの流通も深刻な問題となっている。あるヨーロッパの高級ブランドがバッグの工場を中国に置いた。すると、2カ月もたたないうちに、その新作バッグのニセモノが闇市場に出回ったという。

しかも、そのバッグは布地から金具から本物そっくりで、その道の鑑定士も、ひとつ間違えれば見分けがつかないような代物だったという。

それもそのはず、ニセバッグは本物の布地や金具を使ってつくられていたのである。

これに関しては、少し説明がいるだろう。

どんな製品でも製造工程でいくつかのエラー品が出てくるものである。エラー品はその場で処分されるが、エラー発生を見越して通常、本社は余分に原材料を送ってくる。中国人の工場長は、その余分の原材料を持ち出し、こっそり自分の家族が営む闇工場でニセモノ製造に励んでいたということだ。

むろん、本社にはエラー分として計上するのである。つまり、本物の材料を使ったニセモノというわけで、鑑定士もうっかり騙されそうになったのも無理はない。

ニセモノの横行に頭を悩ませたパリの本社は、「ニセモノは、この部分の糸の色が違う」など詳細な「ニセモノの見きわめ方」のマニュアルを中国の工場に送ったが、なんのことはない、ニセモノづくりのプロに、より本物に近い精巧なニセモノのつくり方を教えているだけだったという、オチにもならないオチがついた。

中国でもハリウッド映画は大人気だが、上映初日の夕方には、もう海賊版ＤＶＤが出回るといわれている。海賊版業者が観客にまぎれて上映中のスクリーンを盗撮するのである。その証拠に、スクリーンの前を横切る観客の姿まで映り込んでいたりするのだ。それでも、通常の入場料を払うより、ずっと安く話題の映画を観られることもあって、飛ぶように売れるという。

ディズニーが被った『ムーラン』の呪い

海賊版に関していえば、あのウォルト・ディズニー・カンパニーも中国には大いに泣かされている。14億人の市場の幻想からいまだ抜けないディズニーが、中国人監督とオール中国人キャストを起用し、210億円の巨費を投じて製作した実写版『ムーラン』は、コロナ禍と海賊版のダブルパンチを浴び、中国では見事な討ち死にとなったのだ。

近年は海賊版もDVDからネット有料配信に主流が移っているようで、こちらはますます実態がつかみにくくなっている。しかも、在庫(ディスク)を抱えないだけに、海賊業者としては商売もやりやすい、足もつきにくいときているから、いいことずくめということになる。

『ムーラン』に関しては後日談もある。この作品はロケの一部を新疆ウイグル自治区で行っていた。映画のエンドロールに「新疆自治政府の各治安機関」への謝意を表明する言葉があり、中国の人権問題に世界中が過敏になっているなかで、「ディズニーはチャイナマネー欲しさに中国の少数民族弾圧を容認するのか」という映画関係者の怒りの声を呼んだのだ。

China Special Thanks としてクレジットされた機関には、プロパガンダ機関である中国共産党ウイグル宣伝部、ウイグル人の「再教育」（洗脳）を担当しているトルファン公安局の名を見ることができる。

さらに、主演女優の劉亦菲（リウイーフェイ）が2020年、香港で激化した民主派による逃亡犯条例改正案反対デモの鎮圧にあたった香港警察を支持する旨をSNSに投稿しており、これを知った香港市民のあいだで『ムーラン』ボイコット運動まで起きた。

さまざまなかたちでケチがついた『ムーラン』は、世界市場でも大苦戦を強いられ、興行収益が製作費の3分の1の70億円にも届かないという大惨敗を喫している。

まさに、中国に手を突っ込むと大やけどを負うことを、天下のディズニーが身をもって世界に示した格好になった。

欲望につけ込む「巨大な詐欺師」

アメリカにしても、EUにしても、日本にしても、いままで天文学的な金額の授業料を払って得た大きな教訓のひとつが、中国は国そのものが巨大な詐欺師だということである。

詐欺師は、見せびらかして取り、与えて奪うのだ。14億人の市場、世界の工場、発展する経済都市上海のビル群……まずは見せびらして投資を呼び込み、最初は少しだけ儲けを与え、足を抜けなくさせてから、すべてを奪い取るやり方だ。

結局、中国市場に対する幻想を持つことで、結局中国に利用され、資金と技術を中国に提供するかたちで中国の軍事巨大化に手を貸し、プロパガンダのお先棒を担がされていたことに、世界はようやく気づき始めたのである。中国という自由世界にとっての最大の脅威を肥え太らせ、育て上げたのが自由世界自身だという悲喜劇を、われわれはいま、屈辱をもって噛みしめなければいけない。

資本主義とは、言い換えるなら「欲望」である。儲けたい、豊かになりたい、会社を大きくしたい、あるいは資産を増やして老後は遊んで暮らしたい、お金持ちになって異性にモテたい。そういった人々の「欲望」に支えられて資本主義がある。人は利でしか動かないという確固たる哲学を持つリアリストの中国人は、いわば人間の「欲望」というものの精通者といえる。その中国人にとってみれば、資本主義国を手玉に取るなど朝飯前のことなのかもしれない。

「正義」もまた、時に欲望の別名である。誰でも自分は正義の側の人間でありたいと思うからだ。中国も豊かになれば、やがて民主化するだろう、われわれがそうさせなければいけないというアメリカの「正義」に、ほかの多くの国が乗っかり、これに投資した。その結果については、すでに書き尽くしている。

西側が抱いていた中国幻想、バラ色の中国経済、バラ色の中国市場の実態とはなんだったのか、根本から分析し直してみる必要があるだろう。

本当は縮小傾向にある中国経済

経済に関しては、やはり具体的な数字を見ていくのが理解の近道だ。

2020年の中国経済を見てみよう。中国政府が発表した同年の成長率は2・3％である。もっとも、中国が発表する成長率は実際より水増しされた数字と見ていい。一例を挙げるなら、2018年に政府が公表した成長率が6・6%だったが、これに対し、当時の中国の人民大学の金融学部教授で経済学者の向松祚（こうしょうそ）は、実態はせいぜい1%程度だと公の場で語ってくれた。6倍というのだから、これはもう水増しというより虚構の数字といっていいだろう。

成長率やGDP（国内総生産）、貿易黒字などの数字はおおむね水増しされた数字だし、一方、災害や事故などの被害に関する数字は意図的に少なく公表するのが中国式である。あの河南省を丸ごと飲み込んだ大洪水における死者が300人とは、とうてい信じることはできない。

だからといって中国政府が発表した数字をすべて否定したら、これ以上は論が先に進まないので、ここではいちおうカッコつきの「2・3%」ということで話を進めていきたい。問題は、どこで、何が「2・3%」に伸びたか、である。これを分析していけば、中国経済の問題点が浮かび上がってくるはずだ。

じつは、2020年の1年間で、中国の消費はむしろ縮まっているのである。2020年の中国全国の社会消費品小売総額、要するに小売りの売上高は前年（2019年）比で

3・9%減なのだ。

考えてみれば非常に不思議なことで、消費が減っているのに経済全体が伸びているという話である。では、どこで伸びているのかとなると、2020年の中国の全国不動産開発投資が7%も増えたことになっている。不動産投資の伸び率は、経済全体の伸び率の3倍にもなっているのだ。

つまり、国民の消費が大幅に減っているなかで、2020年の中国経済を伸ばしたのは不動産投資ということになる。これが中国の経済成長の構造を象徴的に示している。

というのも、いま見てきたことは、2020年だけの特殊な例ではなく、中国経済は慢性的な消費不足に悩まされてきているのだ。たとえば、個人消費率を比較してみると、日本は約60%。アメリカはやや高くて70%、しかし中国の場合は、この20年間、つねに37%前後にとどまっている。

ということは、中国経済に占める14億人の国民の消費する割合は、全経済の4割未満ということになる。6割以上の中国経済は国民の消費に回せていないということだ。

では、その回っていないお金がどこにあるのかというと、ひとつが輸出。要するに、国民が消費しない、その代わり外国に製品を売って外貨を稼ぎ、成長を支えるしくみなのである。

もうひとつが投資。消費が不足している分、経済を引っ張っていったのは、やはり投資だ。国民の財布の紐（ひも）が固い分、企業からお金を出させて設備投資をしてもらう。工場をつくったり、新しい機械を購入したりして、お金を回すのだ。

それから政府が行うのが各種インフラ投資。要は公共事業だ。橋をかけたり、鉄道を敷いたり、あるいは暴雨の季節を前にしてダムや堤防を補強したり、である。

そして、投資のもうひとつの重要な部門は不動産投資。高層マンションを大量につくっていれば、経済が成長するのである。

結局、中国経済は、個人の消費が不足しているなかで、輸出と投資、とりわけ後者に頼ることで、なんとか支えられてきたわけだ。ただ、インフラ投資も、そろそろ限界が見えてきつつある。

すべて借金で走っている鉄道網

現在、中国の代表的なインフラ投資は高速鉄道だ。中国で高速鉄道の建設が始まったのが2007年。それから2020年までの13年間で敷かれた高速鉄道は3万8000キロメートル以上。たった13年間で日本の新幹線の10倍以上の鉄道をつくった計算になる。いくら中国大陸が広いとはいっても、狐狸（くり）の類いもいないようなところに鉄道を通しても意味がなかろう。

だが、公共投資でお金を回し、見かけだけの成長率を出すためには、つくらざるをえないわけだ。そもそも、高速鉄道に乗れる人といっても、中国ではかぎられた富裕層ということになる。もう最初から赤字経営に陥るのは、わかり切ったことなのだ。

しかも、その建設費はどこから捻出したのか、簡単にいえば、すべて借金だ。簡単に説明すれば、高速鉄道を経営する国家鉄路集団（中国国家鉄路集団有限公司）という組織がある。これは国有企業、つまり親方が政府だからつぶれることはない。

中国の場合、銀行も政府のものだから、無制限にお金を借りることができる。これで鉄道をつくってきたわけだ。現在、この国家鉄路集団の借金は人民元（じんみんげん）にして5兆5700億元。日本円に換算すると93兆円にのぼる。

そして、できた高速鉄道は、いまいったように毎年膨大な赤字を出し続けている。最初から赤字になるようにつくられているのだから、目も当てられない。したがって、この負債は永遠に返せないといわれている。

中国の歴代王朝は、権勢を誇るため、万里の長城やら頤和園（いわえん）やら、巨大な建造物を好んで建てたがるが、その悪い癖を習王朝が踏襲しているといえば皮肉にすぎるか。いちおう万里の長城は異民族の侵略を防ぐ意味もあったが、それでも北方の騎馬民族は馬ごと悠々飛び越えて侵入してきたから、結果的には無用の長物には変わりがなかったわけだ。

しかも、高速鉄道だけでなく、これまでは政府も、国有企業も、民間企業も、個人も、みんな借金なしには動きようもないのだ。しかも、借金をすることになんの抵抗感もない。

２０１９年末の時点では、中国のすべての負債、要するに政府、国有企業、民間企業、個人の負債総額は５００兆元。これは中国のＧＤＰの５倍にあたる。１年間の国内総生産の５倍が借金ということになるわけである。日本円にすると８４５０兆円に相当する途方もない数字だ。おそらく、数えるだけで二晩は軽く過ぎてしまうだろう。

こんな借金頼りの経済成長が続くわけがないのである。

借金が続き、返済ができなくなると当然、倒産が待っている。むろん、一企業にとどまることはない。連鎖倒産という言葉があるが、中国の場合はドミノ倒産だ。銀行だって、大量の不良債権を抱えれば破綻に向かうしかない。

中国の国有企業および民間企業が発行した社債のうち、2020年にデフォルト（債務不履行）となった銘柄件数は150件、金額は1697億元にのぼるという。ちなみに、2019年の1501億元を超えて過去最高額となった。

35億人分も建てられた「空き家」

インフラ投資と並んで中国経済の墓標となるのは、無計画な不動産事業である。この20～30年間、中国は不動産バブルに踊っていた。そのため、北京や上海には、高層マンションの類いがそれこそ雨後のタケノコのように建っていった。

成金たちが買って住む、あるいは投機のために買う。転売で儲ける。建てては買う、買っては建てるが続いた。売れているうちはいい。

2019年、中国全国で不動産投資総額がどれくらいあったかといえば、13・2兆元。同年の中国のGDPの13％ぐらいに相当する金額だ。自国のGDPの13％が不動産投資というのは、通常はありえない話である。

13・2兆元といえば、日本円にして206兆円だ。2019年1年間の日本全国の不動動産投資総額が4兆1448億円。同じ年の中国の2％である。逆にいえば、中国は日本の50倍以上の不動産投資を行っていることになる。中国の経済規模は日本の倍を少し出た程度だが、それで不動産投資が日本の50倍ぐらいあるのだから、どう考えても身の丈を超えている。

そうなると、結果的にどうなるかといえば、供給過多。つまり、多くの物件が在庫となって、住み手も買い手もないまま放置されることになる。

一説によると、中国では現在、6500万戸の売れ残り物件があるという。3人で1戸の物件に住むとすれば、およそ2億人の住居がまるまる空き家になっている計算である。

実際は、これもかなりゆるい見積もりらしい。中国国内の全不動産の数を調べたら、なんと11・6億戸という数字がはじき出された。こちらも3人で1戸として計算してみると、35億人がゆうに住める戸数だ。中国の全人口は14億人だというのに。あとの20億人は地球のどこからかき集めてくるつもりだろうか。

むろん、空き家といっても、管理やメンテナンスの費用は不動産会社の負担となる。オーナーはいま、悲鳴を上げている状態だ。

「国家」というものを信じていない中国人

さらに追い打ちをかけるのが不動産価格の高騰である。こんなにも物件がダブついているのに、不動産価格は下がるどころか上昇する一方だ。高級マンションブームの初期に買って投機に回した者は多少の儲けがあったかもしれないが、それも限度がある。

現在、北京、上海の不動産価格は東京、大阪を超え、ニューヨーク、ロンドンに並んでいるという。完全にバブル状況である。バブルである以上、いつかは弾けてしまうだろう。

最近は中国国内でも、党に近い場の人からも、このバブルの崩壊に対する警告を発せられている。たとえば、2020年12月には中国人民銀行の党委員会書記で中国銀行保険監督管理委員会主席の郭樹清（かくじゅせい）が「不動産は、いまやわが国の金融安全を脅かす最大の脅威になっている」という見解を発表している。

それでも、やはり不動産投資熱が冷める気配はない。なぜかといえば、中国人は国家というものを基本的に信用していないからだ。何度も王朝の転覆を経験し、その都度、通貨が紙くずになることを知っているのだ。共産党政権も例外ではない。

また、今も昔もニセ札が横行している。だから、リスクヘッジとして現金以外のものに資産を振り分けようという知恵が働く。あるときはゴールド（金）、近年では不動産や仮想通貨がそれになっている。

第2次世界大戦中に中国で阿片（あへん）が蔓延したのも、当時、さまざまな軍閥が地方を牛耳り、ミニ政府のようなものをつくって勝手に通貨を発行したため信用がなく、むしろ阿片が通貨代わりを担っていたという側面もある。毛沢東も、蔣介石も、日本軍も、それぞれ阿片を「発行」していた。

「不動産バブル」のカラクリ

いま、中国は不動産ブームにある。みんな銀行からお金を借りてまで不動産を買い、開発業者やゼネコンも銀行からお金を借りてマンションを建設するわけで、すでに現在、中国全国で各金融機関からの不動産関係向けの融資残高が46・16兆元を超えている。日本円にしたら735兆円に相当する金額である。

さらに問題となっているのが、いまいった投機目的の購入だ。自分が住む以外に2戸、

3戸と普通に買っているのだ。彼らは不動産価格が永遠に上がり続けるものと信じているのだ。

中国の不動産バブルを膨らませているのが、こういった投機的な中産階級、小金持ちたちなのである。前出の郭樹清は、こういった不動産投機家も、行政の金融の専門家に踊らされた、いわば被害者だという。彼は2021年6月10日のフォーラムの席で、こう発言している。

「不動産価格が永遠に下がらないことに賭けている人々は、最終的に大きな代価を払うこととなる。金融のトップが不動産神話をつくり、人々を煽動し、お金を吸い上げている。しかし、バブルはいつか弾けるのが理（ことわり）である。そのとき、国中は大変なことになるが、誰が責任を取るのか」

実際、現在の中国経済の成長は不動産頼りとなっている。GDPの13％が不動産投資である。となれば、永遠に虚構の不動産ブームを煽っていかなくてはならない。誰も住み手がいない高級高層マンションをつくり続けなくてはいけないのだ。つくり続けないと、中国経済は1割以上の損失を被り、致命的なダメージを受けるのである。

しかし、ブームが続けば続くほどバブルを膨らませるだけであって、在庫を増やして金融危機のリスクを増大させるのは子どもでもわかる理屈だ。

バブルをそのまま膨らませていき、限界まで膨らんだ状態で崩壊したら、中産階級は財産のすべてを一気に失い、銀行は天文学的な不良債権を抱え、中国経済は大混乱に陥ってしまうだろう。アメリカのサブプライムローン崩壊、あるいはリーマン・ショック級のカタストロフィが、それこそ連鎖的、誘爆的に起こるだろうと予測されている。

では、バブルを縮小する方向に持っていったらどうなるか。それは中国の経済規模の縮小を意味する。消費はますます低迷し、多くの企業が倒産の憂き目にあうだろう。放置するも地獄、なんらかの措置を講じるのも結局は地獄、いや、措置の方法など見つからないのが、いまの状況ではないか。

アメリカの制裁で凋落著しいファーウェイ

むろん、中国政府はそんな危機などおくびにも出さない。一部の外国のメディアも、なぜか中国経済に関しては楽観論を示したがる。「いや、大丈夫。中国は、これからAI技術、IT技術で新しい産業を興していき、この分野で世界のトップを走る。中国経済の未来はまだまだ明るい」と。

しかし、これはどう考えてもウソ臭くしか聞こえない。先端技術に関していえば、そのほとんどは外国が握っている状況だ。中国がＩＣチップを自前でつくることができないことは、すでに書いたとおりである。

２０１９年でも中国の半導体の自給率は、わずか15・7％にすぎなかった。中国政府は半導体の純国産化をスローガンに掲げ、さまざまな企業が半導体事業に参入したが、そのほとんどが失敗に終わっている。そこにきて、アメリカの輸出規制を食らい、中国の半導体産業は足踏みを続けている状況で、完全に5G戦線から脱落してしまっている。

アメリカは徹底的にＩＴ産業の国際市場から中国を排除する方向で動いているのだ。先端技術を絶対に中国に渡さない、盗ませない。もし中国に技術を渡した国があれば、同様の制裁を科すといっている。

アメリカの制裁を受けて、中国のＩＴ産業の象徴的存在のファーウェイは急速に失速している。一時は5G時代のトップを走り、中国国内はいうにおよばず、世界市場を制覇するといわれたファーウェイが、いまではもう見る影もないのだ。

シンガポールに本部を置く世界的市場調査会社カナリスは、２０２１年4月29日、同年の第1四半期の世界と中国のスマートフォン市場の調査報告を発表した。

それによると、同期の世界全体のスマートフォンの出荷台数は3億4700万台。前年度期と比べて27%の増加である。これは急成長といってもいい数字であろう。

そのなかで、ランキング第1位、出荷台数がいちばん多かったのはサムスンの7650万台で、世界シェアの22%を占めている。

それに対して、ファーウェイの出荷台数は1388万台。サムスンの5分の1にも届かない。世界シェアは4%、ランキングは5位以下で、分類上は「その他」扱いである。

ちなみに、2019年、ファーウェイは出荷台数世界第2位、世界シェアは17・6%だから、目も当てられないような凋落ぶりだ。

中国国内での出荷台数でも低価格を売りにするVIVO（ヴィーヴォ）に第1位（2160万台）を譲り、1490万台でどうにか3位の面目を保ったものの、前年同期から1520万台減で半分以下だ。市場シェアは41%から16%に縮小し、売上高では16・5%減となっている。

これもアメリカによるファーウェイ制裁の明白な結果だ。制裁の効果が、こうも早く目に見えるとは、当のアメリカでも予測していた人は少なかったのではないか。それだけ中国経済が張り子の虎であり、自慢だったＩＴ産業の最先端技術が外国頼みだったことの証左だ。

中国が触手を伸ばす台湾ＴＳＭＣの独走

転落の一途をたどるファーウェイは、もはや世界のＩＴキングという壮大な目標を諦め、生き残りをかけて多角経営に乗り出している。酒造会社を買い取ったり、最近では養豚事業にも手を出したりしているようだ。

ちなみに、見事に出荷台数、およびシェア世界第1位に輝いた韓国のサムスンだが、彼らとて、うかうかしていられない状況にある。フッ化水素など日本からの輸出規制の波をもろに受けているのが韓国のスマートフォン業界なのだ。サムスンも次世代半導体チップ競争に対応できず、今世代半導体の在庫がダブついているのが現状なのである。

つまり、古い売れ残りを抱え、新しいものはつくることができないという最悪の状態。おまけにサムスン・グループの事実上のトップである李在鎔（イジェヨン）副会長の逮捕（贈収賄）などご難続きで、業績は確実に悪化をたどっている。

そこで現在、急上昇しているのが、サムスンのライバル企業ともいわれている台湾のTSMCだ。アップルとインテルが同社の3ナノメートル半導体チップを導入するのでは？という報に、サムスン経営陣は青ざめたという。

これが実現すれば、TSMCは次世代半導体分野で事実上のトップに躍り出る。サムスンはこれよりワンランク低い5ナノ級工程に莫大（ばくだい）な投資を進めている状況なのである。

中国は、これからますます台湾の技術に触手を伸ばし、彼らのいう「統一」を果たそうと躍起になることだろう。

技術は公のためでなく私利私欲のために開発

「中国には技術の蓄積という考えがない」というと驚く日本人がいる。

「世界の三大発明といわれる火薬、羅針盤、活版印刷のルーツは古代中国にあるのに」とか、「中国人って、小さな米粒にお経を書いてしまうほど手先の器用な人たちではないのか。ハイテク産業に向いている民族だと思う」というような素朴な意見をぶつけてくる人もいた。

たしかに潜在的な技術力はあると思う。そもそもアメリカがファーウェイに怒り心頭になったのは、同社のＩＴ通信機器にバックドア（不正に侵入するための入り口）がしかけられていて、情報が常時抜き取られていることが判明したからである。こういった技術は、やはりバカにできない。

手先の器用さも同様だ。段ボールを具材にした肉まんや、ゼラチンと石灰と絵の具で殻までそっくりなニセ卵をつくりだす芸当は、中国人ならではのものだろう。

そうそう、髪の毛でつくった醤油というのもあった。人間の髪の毛からアミノ酸を抽出して色素と香料を混ぜたもので、通常の醤油の20分の1程度のコストでつくることができるのだという。そんな労力とアイデアと手先の器用さをほかのことに使えば、何かもっと有意義なものをつくりだせるのにと、多くの日本人は呆れつつも感心したのではないか。

このように、中国人は、私利私欲に直結するものに関しては、われわれが考えもおよばない発想や技術力を発揮するようである。

大昔の中国では、たしかに人類に貢献する大発明も数多くあったが、70年におよぶ共産党支配で、それらを生む知的土壌はすべて奪われてしまったのだ。歴史に残る発明や発見は多くの場合、偶然のなかで生み出されるものであるし、それゆえ既成の常識を根底から覆すものである。

しかし、共産党一党独裁の体制、全体主義体制は、それを許さない。共産党が理解できないものを考え出すことも、つくりだすことも反革命的と一刀両断されてしまうのだ。中世欧州の教会政治にも似たことがいえる。地動説を唱えたガリレオ・ガリレイがどうなったかを思えば理解できるだろう。

かくして技術は公に奉仕するためにあるという考え方は廃れてしまった。欲しい技術があれば盗めばいいというのが、彼らが到達した結論である。

遺体ごと「埋葬」された新幹線車両

向上心なき技術は、見かけだけ整っていれば、中身はともなわなくてもいいという思考に落ち着く。

とりわけ中国では毛沢東の時代からスローガンとノルマありきで、人民は党に使われてきた。大躍進では「イギリスを追い越せ」「三面紅旗(さんめんこうき)」のスローガンのもとで無謀な生産のノルマを大衆に課し、結局、広大な農地を荒れ地に変えて無数の餓死者を出した。

中国自慢の高速鉄道も同じだ。党が方針を決め、目標を定め、納期を決める。技術者も労働者も党が決めた納期を遵守することしか頭になく、安全性など二の次、三の次ということになる。そのためか、高速鉄道は開業以来、事故続きである。

接触事故や装備品の欠損といった事例は数知れず、走行中に線路を歩いていた男性（なぜ、そんなことをしていたのかは不明）を轢いてしまったものの、到着時間を守るために、ブレーキもかけずにそのまま運行し、駅に着いたときには列車のノーズ部分にちぎれた男性の上半身がへばりついていた事件もあった。

しかも、驚いたことに、列車はその上半身を乗せたまま、何もなかったかのように、次の駅に向けて予定どおりに出発したという。

２０１１年7月には浙江省温州市の路線で死者40人、重軽傷者２００人以上を出した中国高速鉄道史上最悪の追突脱線事故が起きている。原因は制御システムの欠陥と、それを見逃して処理を怠ったスタッフのヒューマンエラーだった。

この衝突事故で車両4台が高架から脱落して地面に落下、１台は宙吊り状態になり、その様子は日本のニュースでも伝えられたので、ご存じの読者も多いと思う。

さらなる原因解明に向け、車両を引き揚げての検分が必要と思われたが、中国当局は、なんと、その日のうちに被害者の遺体ごと事故車両を高架の脇に埋めたのである。「まだ生存者がいるかもしれない」との声もあったが、完全に無視されたかたちだ。

そして、何ごともなかったかのように、後続車両は運行を再開したという。

インドネシアが悲鳴を上げた中国製高速鉄道

その中国製高速鉄道だが、インドネシアがジャカルタ・バンドン間に採用を決定し、2015年に着工、本来の計画なら2019年に完工する予定だったが、2021年9月現在においても、進捗は70%と足踏み状態である。

原因は多々あるが、最も大きいのが工期短縮ありきの無謀な工事計画による環境破壊の問題である。中国が持ち込んだ大型重機の掘削やパイル打ち込み作業の振動によって近隣の民家の壁に亀裂が入る、あるいは騒音、大気汚染、水路変更による洪水や土砂崩れなどの被害が相次いで報告されている。

さらに追い打ちをかけたのが、2020年来のコロナ禍による作業の中断である。コロナ禍は不可抗力とはいえ、それとて中国の武漢が発祥の地だ。

完成の暁には在来線で3〜5時間かかるジャカルタ・バンドン間を時速350キロメートルで45分まで短縮できるという触れ込みで始まった高速鉄道計画。じつは当初、日本の新幹線システムを導入することがほぼ決まりかけていたが、工期の短さと費用の安さを全面にアピールした中国が、横から滑り込むかたちで受注をかっさらった経緯がある。

日本側は工事による環境への影響に関してまとめた準備資料まで作成してインドネシア政府に提出したが、なんとインドネシア側がそれをそのまま中国側に流した疑いが持たれている。日本側からすれば、ずいぶんバカにした話ではないか。

結局、工期は大幅に延び、建設費用も当初に中国側が提示していた55億ドルが79億ドルにまで膨れ上がり、今後も膨れ上がっていくと見られている。まさに安物買いの銭失いを地で行った話だ。

インドネシア政府内でも、いまさらになって中国との契約を切り、残りの工事を日本に発注できないかと検討に入っているという。じつはインドネシアでは、このほかにジャカルタ・スラバヤ間の高速鉄道計画があり、そちらには日本が参加している。二つの鉄道をジャカルタでジョイントして新幹線を走らせる構想だ。

しかし、一度裏切られたかたちの日本にしてみれば、そんな虫のいい話に乗れるわけがない。第一、中国側と日本側の鉄道ではゲージ（軌間）も違う。これを連結させるのは無理な話だし、すべてを破棄して一から日本式で再工事するならともかく、中国の杜撰(ずさん)な工事のあとを引き継いだとして、たとえ運行ができても、万が一脱線事故でも起こされたら新幹線の信用にかかわる問題だ。

新幹線は敗戦国日本の国鉄（現JRグループ）が当時の持てるすべてのテクノロジーとプライドをかけて完成した世界に冠たる鉄道システム、夢の超特急だ。初代新幹線の設計には零戦(れいせん)の技術が応用されているという。絶対に安売りすべきではない。

一方、インドネシアを一帯一路の東南アジアの玄関口と考えている中国は高速鉄道計画を諦めてはいない。CDB（中国国家開発銀行）から約45億ドルの借款が同計画に投入されるという。

使い捨ての農民工が建設する欠陥住宅

手抜き工事は、もう中国のお家芸になった感がある。

工期を短くするための手抜きもあるが、強度を考えず、安く上げるために粗悪な材料を使う「おから工事（豆腐渣工程）」もへっちゃらである。

それから中抜き。いざ建設工事が始まってみても、それぞれの工程で業者の中抜きがあるから、総工費○億元という額面でも、実際の建設費はその10分の1なんてこともざらなのだ。

中国にも建前上は建築基準法があるが、そんなものは守られたためしがない。仮に違反が見つかったとしても、賄賂次第でどうにでもなるのである。

建築現場で働く末端の労働者は農民工と呼ばれる農村から連れてこられた使い捨ての日雇い労務者だ。彼らは小卒、中卒の低学歴者が大半を占め、なかには学校にも行けず、読み書きもままならない者も少なくない。お百姓というより、実態は農奴と呼ぶに等しく、それがそのまま建築作業所に投げ込まれたかたちだ。

だから、たとえば基礎工事の大切さも理解できないし、それを教えてくれる親方もいない。日本のような職人気質は育っていないのだ。

農民工は戸籍上、「農村戸籍」に分類され、「都市戸籍」者とは区別される。工事が終わればお払い箱になり、故郷の農村に帰らなくてはいけない。なかには官憲の目を逃れて都市部に定住する者もいるが、生涯2級市民扱いで、進学、結婚、マンション購入など制度上のさまざまな差別を受けている。

毛沢東が農民を解放したなどというおとぎ話を信じる者は、いまの中国には誰ひとりしていない。

地震でもないのに揺れる超高層ビル

賄賂にしか興味のない役人、中抜きの業者、奴隷労働を強いられる農民工。これらの構造的な悪弊によってつくられるものが、いかに欠陥だらけの危険な建造物か、想像に難くないだろう。

北京、上海をはじめ、中国の都市部では100メートル級のオフィスビル、高級マンションが立ち並んでいる。もし、これらの都市で震度5クラスの地震が起こったとして、その被害を想像したら絶句せずにはいられない。ほとんどの高層建築物は倒壊し、その瓦礫(がれき)の下に何百万の遺体が横たわる光景である。

毎年、洪水などの天災で多くの人命が奪われている中国だが、そのなかには手抜き建造物、つまりは人災による被害も少なくなかったはずだ。

２０２０年８月には内モンゴル自治区で暴風によって高層マンションの外壁が剥がれ落ちるという信じられない事故があった。コンクリートの塊が降ってくるのである。もし、その下を通りかかった人がいて直撃を食らったら、当然ながら生きてはいないだろう。２０２１年７月にも河北省で同様の強風によるビル外壁剥離事故が起こっている。

信じられないといえば、２０２１年５月には深圳で高さ３５６メートル、72階建てのＳＥＧプラザビルが地震もないのに突如上下に大きく揺れ出し、数千人の人々が緊急避難するという信じられない現象があった。

広東省の緊急事態管理局の調査によれば、当日は朝から強風が吹いていたことに加え、ビルの地下を通る２本の地下鉄から生じる振動、気温の上昇によるスチールの伸びなどの複合的な原因によるものだという。同ビルはＴＭＤ（Tuned Mass Damper）と呼ばれる制振装置を設置していなかったこともわかっている。

高層ビル火災も、いまやありがたくない中国の名物となりつつある。

２０１７年12月、天津市の高層ビルの38階から火災が発生し、死者10人を出す惨事があった。２０２１年３月には河北省にある高さ１１１メートル、26階建てのオフィスビルが半焼。同年８月には旧満州の遼寧省大連市でマンションやオフィスビルが入った高層ビル

19階から出火し、１８００人が緊急避難を余儀なくされている。

日本では一定の面積を有する建造物にはスプリンクラーなどの防火装置、火災報知器などの設置が義務づけられているが、中国にはその発想すらないのだろう。

そもそもビルというからには鉄筋コンクリートで、内部は最低限の断熱材や防火素材が使われているはずだが、大連のビル火災の動画を見るかぎり、外壁はまるで段ボールに火をつけたように燃えていた。粗悪な資材を使った手抜き工事であることは明らかだ。

さらに恐ろしくなるのは、中国の建築会社がアジア諸国、南米、アフリカに進出し、おからビルを建て続けていることだ。

日本のゼネコン会社が海外で工事を請け負う場合、日系企業からの要請やＯＤＡ案件による受注が中心なのに対し、中国の建設会社は国際入札での受注がほとんどなのだという。つまり、工費を安く見積もって仕事を受けるやり方だ。

インドネシア高速鉄道の事例のように、決まりかけていたものに横から入り込んで奪うのがこれだ。常識では考えられないような安い工費で請け負い（結局は高くつくのだが）、しかも中抜きで資材は粗悪品とくれば、どうなるか。

ご承知のように、東南アジアは台風の通り道だし、南米は日本並みに大地震が多い。それらの国々にメイド・イン・チャイナのビルを建てることは、わざわざ億千万のお金を払って「危険」を輸入するようなものではないだろうか。

なかなか解消しない「一人っ子政策」の弊害

私は習政権の誕生直後に、すでに長期的に見て、中国経済が成長する要素はほとんどなく、今後は急速に下降線を描いていくという予測を立てた。当時はまだ中国に幻想を抱く経済人や評論家が多くいて、それらの人から私の意見は懐疑的な目で見られたものだ。しかし、いまとなっては、私の予測は間違っていなかったと胸を張りたい。

中国市場が大きくならない最大の理由は人口の減少だ。

中国政府は増加の一途をたどる人口を抑制するため、1979年から「一人っ子政策」を取ってきた。夫婦ひと組につき子どもはひとりまでとする政策で、政府がこれをやめ、夫婦ひと組につき子ども二人まで認めるよう政策を転換したのは、2015年秋のことである。

「一人っ子政策」を開始して以来、2000年代初頭までは毎年、新生児の数は二千数百万人というペースを推移してきた。しかし、2015年になると新生児の数が1665万人にまで減少している。

もともと増え続ける人口を抑えるための「一人っ子政策」だったが、極端な産児制限が人口の逆ピラミッド化を生むことに、中国政府はようやくながら気づいたのである。

1950年の中国の平均寿命は男性47歳、女性49歳で、ともに40代だ。20年後の1970年になって、ようやくともに60代になり、2005年になって男性70歳、女性74歳の人生70歳時代を迎えることになった。つまり、平均寿命は確実に延びているのである。そういう状況で出生数が減少すれば、当然ながら待っているのは高齢者社会ということになる。

また、中国は儒教的家父長主義的価値観がいまだ根強い。子どもをひとりしか産めないとすれば、跡取りである男児を願う傾向にある。検査でお腹の子が女の子だったとわかったら、その足で闇の堕胎医に向かう夫婦もめずらしくない。

となれば、男女の人口比が崩れて男余り現象が起こる。農村部では慢性的な嫁不足に悩むことになり、これに対して政府が取った政策は、チベットやウイグルから女性を連れてきてあてがうという人権無視の強制結婚だ。悲劇が新たな悲劇を呼ぶ。

「一人っ子政策」を放棄したことで中国政府が期待したのは出生率の急速な上昇である。

しかし、1年後の2016年こそ第2子を産んでよしという〝お触れ〟の効果があってか、新生児の数は2015年より120万人程度増えて1786万人になったものの、翌2017年になると1725万人と、また減少を見せている。どうやら第2子出生は一過性のブームに終わったようだ。

出生率低下にいよいよ拍車がかかるのが2018年である。新生児の数は前年の2017年から200万人減の1523万人。2019年にはさらに減って1465万人。この現象はどうにも歯止めがきかず、2020年の新生児の数はついに1200万人にとどまってしまった。2016年の新生児の数が1786万人であったのに対して、わずか4年で500万人も減った計算になる。

結婚したがらない「小皇帝」たち

その原因として考えられるのは、まず格差による貧困層の拡大。とくに、いまいった農村部でこれは深刻化している。二人生んでも育て切れる自信がない。

都市部の中流層では教育費の問題もある。子どもを大学に入れ、さらに海外に留学させて箔をつけるとなると、それ相当なお金が必要となるわけで、ひとりが精いっぱいといったところだろう。

こういった地域格差や教育コストの高騰による産み控えや少子化は先進国ならどこも抱えている問題だが、中国の場合、それが極端なのだ。やはり将来に対する漠たる不安がそうさせるのだろう。

若者の意識の変化も大きい。30年以上も「一人っ子政策」を続けていると、それが文化というか習い性になってしまった感がある。とくに1990年代以降に生まれた世代は改革開放の安定期、日本でいうところの高度成長期に幼少年期を過ごし、親の愛情を一身に受けて育った消費文化の申し子でもある。一般にわがままで飽きっぽく、流行に敏感なことから「小皇帝」などといわれている。

「小皇帝」世代は総じて面倒臭いことを嫌う。親が元気なうちは、できるだけ脛をかじって仕事さえしたくない。躺平主義、つまり寝そべり主義。あくせく働いても将来にさしたる希望もなさそうだし、だったら稼いだお金は趣味に使って、あとはとりあえず食べていける最低限の暮らしができればいいという考え方。

そんなわけだから、恋愛も長続きしないし、結婚するのも面倒臭い。子どもをつくるなんて、なおさら面倒臭い。わりと高学歴の若者にこういった考え方が蔓延しているようだ。

少子化現象には、こういった若者の刹那主義も大きく影響しているのだろう。

「未富先老」社会がやってくる

最後に高齢化問題にも触れておこう。こちらはさらに深刻だ。

中国では2000年に60歳以上の高齢者が総人口の10％を超えており、これは高齢化社会に突入したことを意味する。2013年には60歳以上は人口の14・3％を占め、1億9396万人を数えた。1億人以上の高齢者を抱える唯一の国となったのである。

日本の内閣府経済社会総合研究所の試算によると今後、中国の高齢者人口は毎年860万人ずつ増加すると見込まれ、2050年には60歳以上が総人口の3分の1を超えて4億5000万人に達する見込みであり、80歳以上の人口が1億人を超えると予測されている。もはや名実ともに老いた国、日没する国となる運命が待っている。

中国には元来、老成を好む文化がある。古い水墨画などで桃源郷（とうげんきょう）に遊ぶのは決まって顎から白髭（しらひげ）を垂らした老人だ。仙界の仙人も同様である。それらの老人は、みんな上機嫌な顔をしている。老人は知恵者であり、豊かな経験を経た人生の達人であり、長寿は善であり、老人はみんなに慕われる存在として描かれている。ある意味、それが中国人の理想像でもあった。

しかし、現実は過酷だ。「一人っ子政策」のため、兄弟で老いた両親の面倒を見ることができない。中国でも近年、急速に核家族化が進んでいる。息子夫婦に子どもが生まれれば、教育費がかかる。借金して不動産を買えば、そのローンに追われる。親の面倒にまで手が回らないのが実情なのだ。2012年の段階で「空巣家庭」(独居老人家庭)は都市部では51%、農村部では49%に達しているという。

それでも福祉が充実していればまだ救われるが、独居老人や身寄りがない老人を養うシステムがない。

中国は年金制度も未成熟で、2018年の日本の財務省のデータによれば、日本は年金生活者が65・4%のところ、中国は47・1%にとどまっている。

しかも、中国の場合、年金の支給額も都市戸籍者と農民戸籍では差があり、また地方によっても違いがある。前出のデータによれば、北京市では「都市職工基本養老保険」(都市部のサラリーマン、公務員が対象)の場合は3573元、「都市農村住民基本養老保険」(農村および都市部の非就労者が対象）の場合は５２６元となっていて、７倍近い差がある。それぞれ管轄とシステムが違うので単純比較はできないが、参考のため。

年金自体が機能しているうちはいいが、このまま少子高齢化が進めば、やがて年金制度自体が崩壊していくのは目に見えている。

中国のリタイア世代のじつに20％の人が年金や子女の仕送りを頼りにせず、貯金を切り崩して生活しているという。とはいえ、貯金がある人はまだ幸せだろう。

中国政府がいかに「発展する中国」をアピールしようと、名ばかりの社会主義国家では、富は偏った方向に流れるばかりである。中国では「未富先老（みふせんろう）」という言葉がある。「豊かになる前に老いる」という意味だ。およそ桃源郷とはほど遠い老後の世界ではないか。

第5章
そして、「世界最終戦争」の号砲が鳴る
――タリバン、ミャンマー軍事政権とさえ手を組む中国の思惑

天津でアフガニスタン・タリバンの政治委員会責任者アブドゥル・ガニ・バラダルと会談する中国の王毅国務委員兼外交部長。目的達成のためには手段を選ばない習近平外交に、世界は神経をとがらせている（２０２１年７月28日）。

「テロとの戦い」を振り出しに戻したタリバン

2021年8月15日、世界に衝撃が走った。イスラム原理主義の反政府武装組織タリバンがアフガニスタンの首都カブールを制圧したというニュースである。旧アフガニスタン政府のアシュラフ・ガニ大統領は国外に逃亡し、事実上のタリバンによる政権奪取が起こった。

アメリカが掲げる「テロとの戦い」は、これで振り出しに戻った格好になる。それにしても、アメリカ製の最新鋭の武器を持ちながら、戦わずして真っ先に逃亡した大統領。この政権はかなり腐敗していたというが、別章でも触れたとおり、アメリカは占領地に置く傀儡政権のリーダーをことごとく見誤っている。よほど日本統治の成功体験から抜け出せないのだろう。

中国は真っ先に、このタリバン政権との友好関係の構築を表明。世界のメディアは中華帝国主義とイスラム原理主義のテロ組織が手を握ることの脅威と、バイデン政権の失策を指摘する声であふれているが、国際情勢は短期的な視点と長期的な視点の二つで見るべきだというのが私の主張だ。

たしかに、みすみすアメリカの兵器をタリバンに渡すかたちになってしまったのはバイデン政権の失態だろう。現地に混乱を残すような撤退のしかたもまずかった。

撤退自体はバラク・オバマ政権時から何度も議論されており、トランプ政権時代に決まったことであって、すべての責任をバイデンに帰するのは少々気の毒な気もしないではないが、とはいえ現時点で見ればバイデン政権の失点は大きく、2022年の予備選挙への影響も否めない。

しかし、こと対中政策という面で長期的な視点で見ると、災い転じて福となすことも十分ありうるのだ。

そもそもアフガニスタンからの撤退の背景には、対中戦略に全精力を注ぎ込みたいアメリカの意向もあった。いわばアメリカの本気度を中国に見せつける意味もあったのである。

野望のためならタリバンとも手を結ぶ習近平

今回、中国はタリバンと手を組んだことで、むしろ国際社会との亀裂は、さらに深まったのではないか。野望実現のためならテロ組織と組む中国は世界から諸悪の根源と見なされるだろう。もっとわかりやすくいえば、中国もまた、テロ支援国家の仲間入りをしたということである。習政権は、さらに世界からの孤立を深めていく。

タリバンは死に体となった習近平が思わず手を出した劇薬であると私は思っている。一時は劇薬の効果で息を吹き返すかもしれないが、そのあとに七転八倒の苦しみが待っているはずだ。しかし、タリバンはゆくゆく中国を苦しめる毒薬ともなろう。長期的な視点とは、そういうことなのだ。

中国が、なぜいち早くタリバン政権を支持したかといえば、いうまでもなく、西側による対中包囲網に対する牽制である。事実、タリバン制圧直後、アメリカのブリンケン国務長官が中国の王毅外相に電話し、イギリスのドミニク・ラーブ外務大臣も電話会談をしている。いきなり中国の立場が強くなったのはたしかなようだ。それも一時的なものだと思うが。

電話会談で王毅はブリンケンに「アメリカ軍の急な撤退が、さまざまなテログループの復活を招く可能性が高い」とアメリカを非難し、アメリカが発表した新型コロナウイルスの報告書についても「捏造だ」と切り捨てた。

これに対し、ブリンケンは「報告書は特定の国を非難するものではない」と、どこか返す言葉も歯切れが悪い。

また、王毅はラーブには「アフガニスタンにこれ以上、圧力をかけるべきではない」とまくし立てている。これはG7の外務大臣会合での、タリバンに対して女性や子どもの人権を守るために関与を続けるなどとする声明を念頭に置いたものだ。アフガニスタンには、もう手出し、口出しするなと言いたいらしい。

相手が下手に出ると、とことん上からのもの言いをしてくるところが、じつにこの人らしいといえばらしいではないか。

このように、短期的に見ると中国の一本先取のように見えるが、これも長期的なスパンで見ると、どうなるかわからない。

ある意味、タリバン政権の問題は「中国vs.世界 最終戦争論」と題したこの本の終章を飾るにふさわしいトピックだといえる。では、順を追って解説していきたい。

習近平が知らないイスラムのしたたかさ

少しおさらいをしよう――南シナ海で頻繁に行われている、クアッド（日米豪印）＋英仏独海軍による共同演習をはじめ、米英加とEUによるジェノサイド非難と制裁決議、イギリスG7での「台湾海峡の安定」を明記した共同宣言と、人権、安全保障の両面からの対中包囲網に中国は正直、悲鳴を上げている。

分けても彼らをいらだたせているのはNATOである。対ソを念頭に置いた軍事同盟として発足したNATOが、ここにきて対中に完全シフトしたからだ。海に、陸に、中国は物理的にふさがれた状態で、しかも人権弾圧国という称号をいただき、制裁まで食らっているのだ。まさに四面楚歌の状況にある。

西側諸国、もっとわかりやすい言葉でいえば文明国にとっていちばんの脅威といえばなんであるか。それはテロである。世界最強の軍隊を持つ超文明国アメリカも、9・11同時多発テロにはなすすべもなかった。極端な話、ひとりのテロリストが大国を震え上がらせることもできるのだ。

日本も、さる狂信的集団のテロによって多数の死傷者を出し、一時的とはいえ、東京の交通機能は麻痺してしまったではないか。爆弾、ケミカル、あるいは細菌と、テロの手段も多様化している。テロルこそは、ならず者たちの戦争なのである。

習近平は、タリバンとの蜜月を見せつけることによって、アメリカにテロに対する潜在的恐怖を思い出させる効果があると踏んだのだ。もちろん、アフガニスタンの地下に広く眠っているといわれるレアメタルの存在も魅力だろう。1ヘクタールの芥子畑が末端20億円にまで化ける阿片ビジネスにも興味津々だ。アフガニスタン製のヘロインは純度が高いことで有名である。もっとも、ドラッグビジネスはガニ政権もやっており、タリバンはそれを引き継いだにすぎないが。

同じイスラムということで、アフガニスタンと国境を接する新疆ウイグル自治区の独立派組織「東トルキスタン・イスラム運動」（ＥＴＩＭ）を抑えてもらう狙いもある。一帯一路の要所としても、アフガニスタンは欠かせない。

しかし、タリバンもかなり食えない相手だ。そうそう習近平の思惑に寄り添うような連中とも思えないが。

タリバンは八路軍にも似ている。山岳地帯にこもってのゲリラ活動で腕を磨き、農村を

「解放」しながら勢力を拡大して中央へと向かう戦略が、である。毛沢東に心酔している習近平が、それゆえにタリバンに親近感を覚えているのかはわからないが。

山岳地帯のアジトを転々としながら20年の雌伏の時を過ごしてきたタリバンと、長征も知らない太子党出身の習近平とでは、どだい粘りやしたたかさが違う。あの稀代のディーラーであるトランプの前でも思ったことが表情に出てしまう習近平は、交渉の席での腹芸がうまいとも思えない。何ごともインシャラー（神の思し召しならば）のムスリムが相手ならなおさらだ。

タリバンを利用したつもりが、逆に利用されていたなんてこともあるかもしれない。実際、彼らはその気になれば、中国とロシアを天秤にかけ、両方からお金を吸い上げる芸当ができる立場にもあるのだ。どうも習近平はイスラムを甘く見ているふしがある。

「王毅・タリバン会談」の異様さ

カブール陥落の報が世界を駆けめぐる約半月前の2021年7月28日、王毅は天津市に軍司令官を含むタリバンの幹部たちを呼んで会談を行っている。表向きはアフガン和平に向けての意見交換だというが、この会談は明らかに怪しい。

当時は旧アフガニスタン政府がまだ存在しており、外相としての王毅のしかるべき会談相手は本来、アフガニスタン政府の外交責任者であるはずだ。王毅がアフガニスタン政府の代表ではなく、その国内の一勢力の幹部と会談すること自体が、まさに異例というか、異様な事態である。

アフガニスタン政府と公式の外交関係を持ちながら、その敵対勢力と会談を持ったことは、相手国の内政に対する乱暴な干渉であり、アフガニスタンとの国家間関係を壊してしまう恐れもあるだろう。

さらに重要なのは、タリバンがテロ活動を行っている疑いを持たれている組織であることだ。実際、2021年5月にカブールで58人が死亡した爆弾テロが起きたとき、ガニ大統領は真っ先に「タリバンによるテロだ」と非難している。

簡単にいうなら、たとえば外国の外務大臣が日本政府の頭越しに極左過激派グループの幹部と会談を持つようなものといえばわかりやすいか。

さて、これをどう見るか。中国はタリバンのカブール侵攻を事前に知っていた。あるいは、なんらかの関与をしていたと考えるのが妥当ではないか。資金の援助もあったかもしれない。

この会談で王毅はＥＴＩＭを名指しでテロ組織と呼び、タリバン側に対して「ＥＴＩＭなど、いっさいのテロリスト組織と徹底的に一線を画すことを望む」と要求している。おそらく中国が求めるいちばんの見返りがこれだろう。

ミャンマーのクーデターでも暗躍した中国

それに先立つ２０２１年2月1日、ミャンマーで軍によるクーデターが勃発し、アウン・サン・スー・チー国家顧問兼外務大臣やウィン・ミン大統領が拘束されたが、王毅はそのおよそ2週間前の1月12日にミン・アウン・フライン国軍総司令官と会談している。これも奇異な話だ。

一国の外相が軍のトップを会談の相手に選ぶのも異例だし、第一、面子(メンツ)を重んじてカウンターパートナーの格にこだわる王毅らしくない。

どう考えても、この会談でクーデターについての何かしらの話し合いが行われていたと見るのが自然だ。中国は結果的にクーデターを容認している。

どちらかというと、中国はこれまではスー・チー寄りで、ミャンマー軍とは距離を置いていた。このミャンマー訪問ではスー・チーやウィン・ミンとも会談し、新型コロナウイルス感染症対策をめぐって中国製のワクチン30万回分を提供すると表明したばかりである。スー・チーに恩を売りながら、クーデター派ともつながり、そして乗り換えたのである。

クーデター当日の中国外交部の定例記者会見でも、「われわれはミャンマーで起こっていることを理解しようとしている」として国軍の非難は避け、政変（クーデター）という言葉も微妙に避けていた。

中国側が受ける見返りは「一帯一路」と、それにともなう中国の商業的利益、豊富な天然ガスやゴムなどの資源といったところだろうか。ミャンマー側にしても、少数民族ロヒンギャの弾圧問題で国際社会から制裁を受けている身。中国との握手は損な取引ではない。

同年4月、王毅はマレーシアのヒシャムディン・フセイン外務大臣との会談で、米英の対ミャンマー制裁を念頭に、「出しゃばって勝手に圧力を加えるべきではない」と批判を展開している。タリバンとミャンマーを味方につけた中国はどこまでも強気だ。まあ、それも一時的なものだろう。

しかし、タリバンを支援し、ミャンマーのクーデターにも中国が一枚からんでいるとなると、国際社会の怒りは軽く沸点を超えてしまうはずだ。とくにアメリカはアフガニスタンで赤っ恥をかかされたという思いも強い。

中国は「タリバンを使ってテロを起こすぞ」と暗にアメリカを恫喝するつもりのようだが、もし本当にそれが行われたら、怒りの矛先はタリバンではなく中国に向く。そぶりだけでも、だ。２０２２年の中間選挙を前に、何か動きがあるかもしれない。

これはひどく逆説的だが、中国はタリバンのテロを頼りにすることはできないという見方もできる。

たとえタリバンが単独で行った中国とは無関係のテロでも、アメリカは当然、中国の関与を指摘するだろう。中国製の兵器や爆弾が使われればなおさらだ。

中国はタリバンに「早まったことをしないでくれ」と止めに入る番になる。となれば、タリバンは「アメリカに向けてテロをやるぞ」と中国を脅し、さらなる援助を要求するかもしれない。

タリバンと組んだことがいかに悪手だったか、当の習近平はまだ気づいていない。

中国にとっては「鬼門」だったミャンマー

ミャンマーもまた、中国にとって、じつは鬼門なのだ。

もともと中国とミャンマーの経済的な結びつきは強い。直近のデータによると、ミャンマーにとって輸出の33・4％、輸入は32・2％を中国が占め、どちらも圧倒的な1位となっている。

その一方で、現地に進出した中国企業の評判はすこぶる悪い。中国人工場主の横暴な態度が労働者の反感を大いに買っているのだ。現地の反中感情は軍政復活後、いっそう高まっているという。中国企業追放を求める大規模デモが頻発し、これには軍政を支持する中国を叩くことで、暗に軍政府を批判したい民衆も多く参加している。

最大都市ヤンゴン郊外の工業地帯ラインタヤでは、2021年3月に中国系企業の被服工場に鉄棒や斧（おの）、ガソリン缶を持った暴徒が乱入し、破壊、略奪ののち、工場や倉庫、寮などを次々に放火して去る事件も起きている。これに対して軍が戒厳令を発布し、兵士の発砲によって40人が死亡する惨劇となった。

中国系企業の工場40カ所が炎上し、中国人職員3名が暴徒に襲われて大けがを負った。中国系ミャンマー人1名も軍と暴徒の衝突に巻き込まれて命を失っている。

SNSではミャンマーと中国を結ぶ天然ガスのパイプラインを破壊せよという物騒な書き込みもあり、軍は神経をとがらせている状況だ。

「環球時報」によれば、被害総額は2億4000万元（約40億円）にのぼるという。

こういった事態を重く見た中国当局は、ミャンマー国民の反中ムードの緩和のため、得意のワクチン外交による懐柔策に乗り出している。

スー・チーに約束した30万人分にさらに追加し、計50万人分をミャンマーに送ったが、クーデター以後、多くの医療関係者が抵抗の意を表すストライキ「市民不服従運動」に参加しているため接種もままならず、中国製ワクチンのありがたみはいまひとつ伝わっていないのが本当のところだろう。

それでなくても、ミャンマーではインド製ワクチン「コビシールド」（開発はイギリスのアストラゼネカ社）の接種があらかた終わっており、ロシア製ワクチン「スプートニクV」も承認されている。得体の知れない中国製ワクチンが、どこまで歓迎されているかはわかったものではない。

中国企業が第三世界で嫌われる理由

もっとも、中国企業と現地の軋轢は、ミャンマーにかぎらず、東南アジアやアフリカ諸国でも深刻な問題となっている。

日本ではあまり報道されないが、ケニアやエチオピアでは、やはり工場が焼き討ちにあっているのだ。多くは賃金未払いや雇用の問題による不満からだという。

中国人工場主はどこまでも横柄だし、中国人労働者か中国人より賃金が安いパキスタン人を連れてきて働かせるため、当初いわれていたほどに現地に雇用を生まない。

中国人はすぐにチャイナタウンをつくり、買い物や食事も中国人の店で済ませ、自分たちのあいだでだけお金を回すから、現地の経済への貢献度はきわめて薄い。そういったことに対するいらだちがふつふつと募っているのである。

しかし、コロナ禍以後のアフリカ諸国の嫌中感情は、これらとも少し事情が違うようだ。中国国内では一時期、新型コロナウイルスはアフリカから持ち込まれたという無責任な噂が流れ、中国在住のアフリカ人出稼ぎ労働者が不当な差別を受け続けているのである。

2020年4月、広東省広州市のナイジェリア人労働者が多く住む地区でクラスターが発生してからそれがいっそう激しくなり、ナイジェリア人は宿や食堂からも閉め出され、路上生活を余儀なくされているという。その様子はナイジェリア本国にも伝えられ、ジオフリー・オンエアマ外務大臣は中国大使を呼んで厳重に抗議の言葉を伝え、AU（アフリカ連合）も強い遺憾の意を表した。

ミャンマーに関してだが、同地の反中デモは反軍政デモと微妙にからんでいるから、さらに複雑である。軍政の復活からまだ1年もたっていないだけに、まだその足場は強固とはいえない。いま起こっている反中デモが、いつ反政府の牙を剥き出しにするかわからない。あるいは、弾圧を逃れて反中に擬態した反政府運動家もいるだろう。現地に進出した中国企業や彼らがつくったインフラが、軍政の崩壊の道連れとなる可能性もゼロではないのだ。

アメリカに泣きを入れた王毅

さて、われらが王毅だが、タリバン幹部と会談する2日前の7月26日、同じ天津市でアメリカのシャーマン国務副長官とも会談を行っている。

シャーマンは長く外交畑を歩いたアジア問題の専門家で、平壌（ピョンヤン）では金正日（キムジョンイル）とも堂々と渡り合い、金正日も一目置いた女性政治家だ。中韓に対して「民族感情を武器に歴史認識で日本を非難しすぎる」とたしなめたことでも知られる。

そのシャーマンに、冒頭から人権問題、南シナ海問題、台湾問題への懸念を言い渡された王毅は、「現在、中米関係は深刻な困難と試練を抱えている。次の段階で衝突と対立に向かうのか、それとも改善と発展を得るのか、アメリカ側は真剣に考え、正しい選択をする必要がある」と、例によって上から目線の「悪いのはお前」論法でやりすごそうとした。

しかし、何度もいうように、中国の政治家が尊大な態度を見せるときは、じつは弱みを隠していることが多いのだ。

その証拠に、王毅はこのとき三つの要望をアメリカに示している。それは以下のとおりだ。番号は提示した順番である。

①アメリカは中国の特色ある社会主義路線、制度に対して挑戦や中傷をしてはならず、さらには、その転覆を企ててはならない。

②アメリカは中国の発展プロセスの妨害、さらには断ち切りを企ててはならない。アメリカ側に対して、中国に対するすべての一方的制裁、高額の関税、管轄権の域外適用、科学技術封鎖を早急に撤回するよう促す。

③アメリカは中国の国家主権を侵害してはならず、ましてや中国の領土的一体性を損なってはならない。アメリカが「新疆独立」「チベット独立」「香港独立」「台湾独立」を煽るのであれば、断固たる態度を取らざるをえない。

どうだろう。もの言いこそ命令調で偉そうだが、ずいぶんと〝泣き〟が入っているのがおわかりになるだろう。

「環球時報」などは「アメリカにガツンと言ってやった」という論調だが、それも虚しい。精いっぱいひいき目に評価しても、中国外交トップの王毅がアメリカの外交ナンバーツーのシャーマンに意地を見せた、いや虚勢を張ってみせたといったところだろう。

これまでの中国なら、③の領土問題こそが最大の懸案であり、要求の第1項に挙げてくるはずだ。それが3番目に後退している。いや、③さえあれば、あとはそれでよかったのだ。しかるに、「体制の転覆を企てない」を真っ先に持ってきた。要は体制の保障だけはしてほしいということだ。これを〝泣き〟といわずになんというのだ。

そして、より具体的には「制裁関税や技術封鎖をただちにやめてほしい」といっているのだ。

アメリカによる各種の制裁が、かなりの効果を上げていることの証明である。

習近平の首根っこをつかんでいるアメリカ

シャーマンは王毅との会談に先立って謝鋒(しゃほう)外交部副部長とも会談を行っている。中国風格式でいうなら、王毅ではなく、この謝鋒がシャーマンの相手にふさわしいことになる。

謝鋒はシャーマンに、中国側がアメリカに「やめてほしいこと」をさらに細かく明記したリストを手渡している。さすがに王毅の口から上記以上の〝泣き〟は吐けなかったということか。

その「やめてほしい」リストの筆頭にあったのが「中国共産党員と、その親族に対する入国ビザの制限」だったという。ここからわかるのは、党幹部を含めた中国共産党員と親族は、依然としてアメリカへの入国を希望しているということだ。これは先の「体制の転覆をしない」という要求（というか嘆願だ）とも密接な関係があろう。

共産党幹部の子弟の多くはアメリカに巨額の隠し財産を持っているといわれている。もし中国に大きな政変が起きれば、国を捨ててアメリカに逃げ延びる算段なのだ。王毅もその例外ではない。

入国ビザの制限とは、煎じつめれば、その隠し財産の凍結を意味している。それを知った党幹部と、その親族たちのあいだに、すでに動揺と不満が広がっているということなのだろう。

そして、党幹部の動揺と不満は習政権の安泰を脅かす大きな不安要素のひとつになりかねない。習近平によって粛清され、投獄された元幹部たちの怨嗟の声も牢獄から聞こえてくる。これらがレンズに集められた光のように焦点を合わせたときにどうなるか、だ。中国国内も炎上する。

「偉大なる中華民族の復興」などとご大層なスローガンを掲げながら、結局、親分の習近平も、党の幹部たちも、自分のことしか考えていないのである。

王・謝コンビの愚かなところは、現状置かれている中国のウィークポイント、泣きどころを、わざわざ敵であるアメリカに教えてしまった点にある。しかも、隠し財産など表立って触れられないから、なおのこと痛い。アメリカは習政権の首根っこに手をかけているも同然の状況なのである。

「狂気」へと突入した習政権の経済政策

この本では、習近平がいかに愚かな独裁者かということを、さまざまな視点から分析、解説してきた。しかし、ここ最近――2021年夏以降、習近平がやろうとしている政策は、愚かのレベルをはるかに超え、狂気へと突入したような感がある。

習近平は8月に開催された中国共産党中央財経委員会第10回会議で「共同富裕（きょうどうふゆう）」というスローガンを打ち出した。「共同富裕」という言葉は毛沢東も使っていた言葉で、字面どおりに解釈すれば、「みんなで、ともに豊かになりましょう」ということ。

これだけ聞くといいことのように思えるが、要は、富める者から奪い、貧しい者に再分配するということ。鄧小平の「先富起来（せんぷきらい）」（豊かになる者から先に豊かになれ）を真っ向から否定し、共産主義への先祖返りを意味している。

「共同富裕」は、言い換えるなら「殺富済貧（さっぷさいひん）」（富める者を殺し、貧しい者を救う）でもある。

毛沢東はこれを徹底的にやった。地主を殺し、田畑を農民に分け与え、奪った財産を自分たちのものにしたのである。

習近平の「殺富済貧」のターゲットは大手民間企業だ。中国の電子商取引大手アリババグループが2025年までに1000億元（約1兆7000億円）を投じて「共同富裕」を支援することを発表したというニュースが飛び込んできた。支援する、つまりは上納を強要されたということである。逆らえば会社のお取りつぶし、あるいは経営陣の逮捕という理不尽な結末が待っている。

そういえば、アリババグループの総帥で世界一の大金持ちといわれるジャック・マー（馬雲（ばうん））が2020年暮れから消息を絶ち、一時は党によって拘束、あるいは殺害されたのではないかという噂が流れたのをご記憶の読者も多いだろう（現在、生存が確認されている）。

彼は同年10月に上海での演説で中国の金融規制当局を「時代遅れの老人クラブ」と批判したことで習近平の不興を買ったといわれていた。中国の規制当局は同年12月、アリババを独占禁止法違反の疑いで調査を開始している。実質、いつでも逮捕できる状況だ。マーの上海での演説の直後の11月には世界最大のＩＰＯ（新規株式公開）になると予想されていたアリババ傘下のアント・グループのＩＰＯも阻止された格好だ。

そして、今度の「共同富裕」への上納は同グループにとって致命的な打撃になることは確実だろう。

中国政府によれば、アリババの拠出金は、中小企業への補助金のほか、単発で仕事を請け負う「ギグワーカー」向けの保険改善などに使われるというが、どこまで彼らに分配されるのかはわかったものではない。

さらに、中国政府はインターネットサービス最大手であるテンセント・ホールディングスに対しても、アリババと同額の1000億元の供出命令を出している。

これを受けて、アメリカに上場する中国の大手企業の株は暴落し、わずか1週間で時価総額で合計6兆円が溶けてなくなったという。なかでも最もダメージを受けたのがやはりアリババで、株価は15%の下落である。

こうなれば、中国企業に投資しようなどという投資家はいまい。企業のデフォルトはますます進み、雇用もなくなり、多くの人民が路頭に迷うことになる。これでは「共同富裕」ならぬ「共同貧困」ではないか。習近平は金の卵を産むガチョウを、みずからの手で殺してしまったのだ。それでも、共産党を至上とする習近平は満足なのだろう。党よりお金を持つ民間企業の存在が許せないだけなのだ。

今後、中国の民間企業と大富豪たちを待ち受けているのは、骨髄の最後の一滴まで搾り取られたあとで切り捨てられる運命ではないのか。

もはや中国は「戦時体制」に入っている

「共同富裕」は教育にもおよんでいる。習近平の教育改革の異常性についてはすでに触れた。英語教育を制限し、習近平思想をカリキュラムに入れたのだ。個人崇拝の洗脳教育である。さらに習近平は、ここにきて学習塾禁止令まで出しているのだ。理由は過熱する受験戦争の緩和と教育格差の是正だそうだ。

お金持ちは子どもを塾に通わせ、家庭教師をつけて上の学校に行かせられるのに、貧しい家庭はそれができない。不平等だというのである。

習近平の頭には学習機会に恵まれない子どもに奨学金を与えるなどの底上げ策はなく、勉強ができる子どもの学習機会を奪って平均化させることが平等、公平だとする歪(ゆが)んだ考えがあるようだ。これも彼の学歴コンプレックスのなせるわざといってしまうのは穿(うが)ちすぎか。

とにかく突出した秀才はつくらないということのようだ。ジャック・マーのような才覚ある起業家の存在も目ざわりなのだ。党と自分に従順なロボットのような14億の民であってほしいのであろう。中国にガリレオはいらないということなのだ。

さらに、習近平はエンターテインメントにまで大々的な規制をかけている。経済悪化とコロナ禍の非常時に浮かれた芸能などとんでもないということらしい。

中国を代表する女優ヴィッキー・チャオ（趙薇(ちょうび)）の動画が中国国内のインターネットから一夜にして消えた。映画、ドラマの出演者欄からも彼女の名前が削除されたという。彼女の何が習近平の逆鱗に触れたかはわからない。

同じく人気女優のジェン・シュアン（鄭爽(ていそう)）は12億円の脱税で税務当局に約4倍の51億円の罰金が科せられた。これからしても異常だ。彼女が出演した映画やドラマも、現在では見ることができない。

K－POPも標的になっている。韓国の男性グループはなよなよしていて男らしくない、女性グループは煽情的(せんじょうてき)なダンスが風紀を乱すという、笑ってしまうような理由で、だ。

規制はファンクラブの活動や楽曲のランキングなどの禁止にまでおよんでいるという。

さらに、芸能だけでなくオンラインゲームなどにも規制が入るといわれている。中国のゲーム企業は戦々恐々だろう。

習政権のこういった大衆文化への過剰な干渉を指して「21世紀の文化大革命」と言った人がいる。それに対して異論はないのだが、私はもうひとつ、習政権が戦時体制に入ったのではないかという感想を持った。

日本も日米開戦の前後から娯楽が規制され、芸能は戦時一色となった。男はカーキ色の国民服、女はモンペ姿となり、街から色彩が消えた。まさに現在の中国はそうなろうとしている気がする。もしかしたら、中国では人民服の復活もあるかもしれない。

日本が最終戦争に翻弄されない「たったひとつの方法」

序章でも述べたが、21世紀初頭の現在、私たちが体験しようとしているのは、社会主義の冠をかぶった邪悪な中華帝国主義勢力とアメリカを中心とした自由主義陣営の、まさに「最終戦争」なのである。

韓国のように、どちらの陣営の顔色もうかがう態度でいることは、この地球規模で起こる大きなうねりのなかで置いてきぼりを食らい、衰退していくだけだ。

そして、コロナ禍と香港の二つのイシューによる世界的な中国に対する認識の悪化もまた、大きなうねりとなりつつある。ポスト・コロナ世界の「復興」には、自由主義陣営がこの最終戦争に勝利することが不可欠なのである。

日本も同様である。麻生副総理の「台湾有事は存立危機事態」という発言は、日本が示した大きな覚悟の表れといえるが、一方、ウイグルなどの人権問題に関しての対中制裁決議には二の足を踏んでいる状況だ。これでは人権を最重視し、人権問題で自由主義陣営の結束を図りたいバイデン政権に対して誤解を与えることになりかねない。

まず必要なのは自民党内にいる媚中派勢力の掃討だろう。そして、現状に合わない憲法は、ただちに改正すべきだ。その覚悟を日本は決めなければならない。

そして、この最終戦争に勝利しなければいけない。

すべてに八方ふさがり、青息吐息の習政権は放っておいても瓦解の道へと進むだろう。だが、「窮鼠（きゅうそ）猫を噛む」の一撃を、身のほど知らずの習近平が考えていないという保証もない。そうなれば、中国vs.世界の最終戦争（アルマゲドン）の最初のラッパが鳴るのだ。

戦場は台湾海峡か尖閣諸島か、はたまた南シナ海か。どちらにしろ、日本が当事国になることは避けられない。

いろいろ批判が多かった菅義偉政権だが、媚中派のボスである二階俊博を道連れにするかたちでの勇退は大きな功績のひとつだ。

新総理のもと、いよいよ日本は覚悟を決める時が来た。日本ほどアジアから、世界から期待されている国はないのである。

（文中敬称略）

中国vs.世界 最終戦争論
そして、ポスト・コロナ世界の「復興」が始まる

2021年11月1日　第1刷発行

著　者　石平

ブックデザイン　長久雅行
写真提供　共同通信社
企画・構成　但馬オサム

発行人　畑 祐介
発行所　株式会社 清談社Publico
〒160-0021
東京都新宿区歌舞伎町2-46-8 新宿日章ビル4F
TEL：03-6302-1740　FAX：03-6892-1417

印刷所　中央精版印刷株式会社

ISBN 978-4-909979-22-3 C0036

清談社
Publico

http://seidansha.com/publico
Twitter @seidansha_p
Facebook http://www.facebook.com/seidansha.publico